KB171589

대한민국 입시대전

명문 대학 입시가이드

대한민국 입시대전

발 행 | 2024년 7월 23일
저 자 | mark
펴낸이 | 한건희
펴낸곳 | 주식회사 부크크
출판사등록 | 2014.07.15(제2014-16호)
주 소 | 서울특별시 금천구 가산디지털1로 119 SK트윈타워 A동 305호
전 화 | 1670-8316
이메일 | info@bookk.co.kr

ISBN | 979-11-410-9674-8

www.bookk.co.kr

대한민국
입시대전

Mark 지음

CONTENT

1부 대한민국의 입시제도

Ⅰ 명문대학 입학을 위한 고등학교 입시

Ⅱ 상위권 입학 전형

Ⅲ 대학입학 시험제도

1부

대한민국의 입시제도

Ⅰ 명문대학 입학을 위한 고등학교 입시

1. 고등학교의 종류와 입시 전형

대한민국의 고등학교는 여러 종류로 나뉘며, 각 학교마다 다소 차이가 있는 입시제도를 운영하고 있습니다. 다음은 대한민국 고등학교의 주요 종류와 각 유형별 입시제도에 대한 개요입니다.

고등학교 종류

1) 일반고등학교

일반적인 교육과정을 제공하는 학교로, 대부분의 학생이 진학합니다.

문과, 이과 등의 학과 구분 없이 다양한 선택과목을 통해 학습할 수 있습니다.

2) 특수목적고등학교

특정 분야의 심화 교육을 제공하는 학교로, 과학고, 외국어고, 예술고 등이 있습니다.

일반고보다 심화된 교육과정을 통해 특정 분야의 능력을 키울 수 있습니다.

입시전형이 까다로우며, 학교별로 별도의 선발 기준이 있습니다.

3) 자율형사립고등학교(자사고)

사립학교로서, 자율적인 교육과정을 운영합니다.

높은 수준의 교육과 다양한 프로그램을 제공하며, 경쟁률이 높습니다.

4) 자율형공립고등학교

공립학교이지만 자율적인 교육과정을 운영하는 학교입니다.

다양한 교육 프로그램을 통해 학생들의 잠재력을 키웁니다.

5) 특성화고등학교

직업 교육을 중심으로 한 학교로, 산업체와의 연계를 통해 실무 능력을 배양합니다.

보건, 농업, 공업, 상업 등 다양한 분야에 특화된 교육을 제공합니다.

6) 마이스터고등학교

특성화고의 일종으로, 특정 산업 분야의 전문가를 양성하는 학교입니다.

산학 협력을 통해 현장 중심의 교육을 제공합니다.

입시전형

1) 일반고등학교 입시

일반적으로 중학교 내신 성적, 출석률, 봉사활동 등의 요소를 종합적으로 평가합니다.

학생들이 희망하는 고등학교에 지원하며, 지원 학교의 선발 기준에 따라 입학이 결정됩니다.

2) 특수목적고등학교 입시

과학고, 외국어고, 예술고 등의 경우 입학시험(필기시험, 면접 등)과 중학교 내신 성적을 종합적으로 평가합니다.

예술고의 경우 실기시험이 포함되며, 외국어고는 영어 등의 외국어 능력을 중점적으로 평가합니다.

3) 자사고 입시

학교별로 자체 전형 기준을 마련하여 선발합니다.

일반적으로 내신 성적, 면접, 자기소개서 등의 요소를 평가합니다.

일부 자사고는 전국 단위로 학생을 모집합니다.

4) 특성화고 및 마이스터고 입시

중학교 내신 성적, 적성검사, 면접 등의 요소를 종합적으로 평가합니다.

학교별로 산업체와의 협력 프로그램 및 실습 과정이 중요하게 고려됩니다.

5) 자율형공립고 입시

내신 성적, 면접, 자기소개서 등의 요소를 종합적으로 평가합니다.

일부 자율형공립고는 지역 내 학생만을 대상으로 모집합니다.

교육과정 및 입시준비

대한민국 고등학교는 각 유형별로 특화된 교육과정을 운영하며, 학생들의 다양한 능력을 개발하는 데 중점을 둡니다. 학생들은 중학교 시절부터 자신의 적성과 진로를 고려하여 고등학교 유형을 선택하며, 고등학교 입시를 준비합니다.

고등학교 입시는 학교별로 차이가 크기 때문에, 각 학교의 모집 요강과 선발 기준을 꼼꼼히 확인하는 것이 중요합니다. 많은 학생들이 학교의 특징과 자신의 진로 계획을 고려하여 목표 학교를 선정하고, 이에 맞춘 학습과 준비를 진행합니다.

2. 자기주도학습 전형

고등학교의 자기주도학습 전형은 대학의 입학전형 중 하나로, 학생이 직접 학습 계획을 세우고 수행하여 그 결과를 제출하는 방식입니다. 주로 고려대학교와 같은 몇몇 대학에서 독특한 입시 전형으로 채택하고 있습니다.

자기주도학습 전형의 주요 특징과 요소

1) **목적 및 목표 설정**: 학생은 자신의 관심 분야나 목표를 바탕으로 학습 목표를 설정하고, 이를 실현하기 위한 계획을 세웁니다.

2) **학습 계획 수립**: 학생은 주어진 기간 안에서 필요한 학습 자료를 조사하고, 학습 방법과 일정을 계획합니다. 이 과정에서 자기주도적 학습 능력과 계획 능력이 중요하게 작용합니다.

3) **학습 수행 및 결과 보고**: 계획한 학습을 실제로 수행하고, 그 결과를 보고서나 프로젝트 형태로 제출합니다. 이 과정에서 학생의 학습 자료 분석 능력과 창의적 사고가 평가의 중요한 요소로 작용할 수 있습니다.

4) **평가 및 선발**: 학생의 보고서나 결과물은 평가를 거쳐 최종적으로 학생의 입학 여부에 영향을 미칩니다. 자기주도학습 전형에서는 학생의 자기 주도적 학습 능력과 문제 해결 능력을 중시하는 경향이 있습니다.

고려대학교의 자기주도학습 전형 예시

1) **과학기술 대학의 경우**: 학생들은 과학기술 분야의 주제를 선정하고, 해당 주제에 대한 심층적인 연구를 진행하여 보고서를 작성합니다. 이 과정에서 실험 설계, 데이터 분석 등의 능력이 평가의 중요한 요소가 될 수 있습니다.

2) 인문사회대학의 경우: 문학, 역사, 사회과학 등의 분야에서 학생은 주어진 주제나 문제에 대해 자유롭게 탐구하고, 자신만의 인사이트를 통해 토론을 전개하는 능력을 평가받을 수 있습니다.

자기주도학습 전형은 학생의 창의적 사고와 문제 해결 능력을 중시하는 동시에, 학습 자기조절 능력을 증명할 수 있는 기회를 제공합니다. 이는 대학의 다양성을 높이고, 학생들에게 심층적인 학습 경험을 제공하는 데 기여할 수 있습니다.

3. 대입에 유리한 고등학교는?

대입에 유리한 고등학교라는 것은 여러 가지 요소에 따라 다를 수 있습니다. 일반적으로 대학 입시에서 유리한 고등학교는 다음과 같은 특성을 가질 수 있습니다.

1) 학업적 수준과 평판: 학업적으로 높은 수준의 교육을 제공하고, 이에 따른 우수한 평판을 가진 학교는 대학에서 긍정적으로 평가될

수 있습니다. 이는 대학 진학률, 고사성적 등을 통해 확인할 수 있습니다.

2) **교내 프로그램과 지원 시스템**: 대학 진학을 위한 전문적인 프로그램이나 지원 시스템을 갖춘 학교는 학생들이 대학 입시에 잘 준비할 수 있도록 돕습니다. 예를 들어, 모의고사 지원, 진로 상담, 대학 특강 등이 있습니다.

3) **교내 활동 및 동아리**: 다양한 학생 활동과 동아리 활동을 통해 학생들의 다양성과 리더십을 발휘할 수 있는 기회를 제공하는 학교는 대학에서도 긍정적으로 평가할 수 있습니다.

4) **창의적이고 독창적인 학생들의 존재**: 학생들이 창의적이고 독창적인 프로젝트나 연구를 진행하거나 수상한 경험이 있는 학교는 대학 입시에서 부가적인 가치를 줄 수 있습니다.

5) **교육 철학과 가치관**: 학생들에게 교육적 기회를 넓게 제공하고, 학문적 탐구를 존중하는 교육 철학을 가진 학교는 대학에서 긍정적으로 평가될 수 있습니다.

이러한 요소들은 대학 입시에서 학생들의 경쟁력을 높이는 데 중요한 역할을 할 수 있습니다. 하지만 마지막 결정은 학생 개개인의 노력과 준비 상태에 따라 달라지므로, 학생 스스로의 열정과 노력이 가장 중요합니다.

4. 인문계열 학생의 입시 방법

인문계열 학생이 대학 입시를 준비하는 방법은 다양한 요소를 고려하여 계획해야 합니다. 아래는 인문계열 학생들이 대학 입시를 성공적으로 준비하기 위한 일반적인 방법들입니다.

학업준비

1) 수능준비

국어, 영어, 사회/문과 전문 과목 준비: 수능 과목 중 인문계열에 필요한 과목을 중점적으로 준비해야 합니다. 국어에서는 문학 작품 해석 능력, 영어에서는 독해와 문법 능력, 사회/문과 전문 과목에서는 역사, 사회학, 경제 등의 지식을 탄탄히 쌓아야 합니다.

2) 자기주도적 학습

독서와 연구: 자기주도적으로 관심 있는 주제에 대해 깊이 있는 독서와 연구를 진행해야 합니다. 자신의 학문적 관심사나 진로에 관련된 학문적 논문이나 연구 활동을 경험하는 것이 유리합니다.

3) 학교 외 활동

문화 예술, 사회봉사 등 다양한 경험 쌓기: 인문계열 학문을 깊이 있게 이해하고 싶다면, 문학, 예술, 역사, 사회적 문제 해결을 위한 봉사 활동 등 관련된 다양한 활동에 참여하는 것이 좋습니다.

4) 대학 연구실 방문 및 면접 준비

진로 탐색: 대학 연구실 방문이나 직접 교수님과의 면담을 통해 자신의 진로와 관련된 연구 활동이나 프로젝트에 참여할 수 있는 기회를 모색하는 것이 중요합니다.

5) 자기소개서 및 면접 준비

성실하게 작성: 입시 자기소개서와 면접에서 자신의 학문적 열정과

독창적인 사고 능력을 잘 드러내는 것이 중요합니다.

6) 특히 고려해야 할 점

입시 전략: 특정 대학의 입시 전략과 요구사항을 미리 파악하고, 그에 맞춰 준비하는 것이 필요합니다. 인문계열에서는 글로벌한 시각을 갖추는 것도 중요한 요소 중 하나입니다.

이러한 점들을 고려하여 인문계열 학생은 자신의 강점을 최대한 살려 대학 입시를 준비할 수 있습니다.

5. 자연계열 학생의 입시 방법

자연계열 학생이 대학 입시를 준비하는 방법에 대해 간략히 설명드리겠습니다. 자연계열 학생들은 과학, 수학 등의 학문적 준비를 중심으로 다음과 같은 점을 고려해야 합니다.

학문적 준비

1) 과학과 수학 과목 준비: 자연계열 학생들은 고등학교 시절 과학

과 수학을 중심으로 깊이 있는 학습을 해야 합니다. 이는 대학 입학시험에서 중요한 요소입니다.

2) 실험 및 실험 설계 능력: 과학 계열의 학문을 실제로 체험하고 이해하기 위해 실험을 설계하고 실시하는 능력을 길러야 합니다.

수능 준비

수학, 과학 과목 중심으로 준비: 수능에서 수학과 과학(화학, 생물, 물리) 과목은 자연계열 학문 진학을 위해 중요한 과목입니다. 이를 준비할 때는 기본 개념 이해와 문제 해결 능력을 함께 키워야 합니다.

실험 및 연구 경험

연구 또는 프로젝트 경험: 대학에서 자연과학을 공부하고자 한다면, 연구 또는 프로젝트에 참여해 보는 것이 좋습니다. 학교나 연구소에서의 연구 경험은 대학 입시에서 큰 장점이 될 수 있습니다.

자기주도적 학습

자발적인 학습 및 독서: 자연계열 학생들은 관련된 학문 분야에서의 최신 연구나 독특한 접근 방식에 대해 자유롭게 탐구할 수 있는 자세가 필요합니다.

외국어 및 컴퓨터 과학

1) 외국어 능력: 자연계열에서도 외국어는 중요한 요소입니다. 특히 최근에는 영어가 중요한 역할을 하고 있습니다. 과학적 논문이나 자료를 읽고 이해하는 능력이 필요합니다.

2) 컴퓨터 과학 기초: 현대 과학 연구는 데이터 분석과 컴퓨터 모델링 등의 컴퓨터 과학 기술을 많이 사용합니다. 이를 위한 기초적인 지식을 습득하는 것이 유리합니다.

자기소개서 및 면접 준비

연구 경험 및 목표: 자신의 연구 경험과 대학에서 이루고자 하는 목표를 잘 표현할 수 있는 자기소개서와 면접 준비가 필요합니다.

특히 고려해야 할 점

진로 탐색: 자연계열 학생은 자신이 관심을 가지는 분야에서 어떤 연구와 진로가 가능한지 미리 탐색해 보는 것이 중요합니다. 대학별로 제공하는 연구 기회나 교육 방침을 미리 알아보는 것도 좋은 전략입니다.

자연계열 학생은 과학적 사고와 실험적 접근 방식을 강화하며, 관련된 학문적 준비를 철저히 해야 합니다. 이를 통해 자신의 강점을 잘 드러내고 대학 입시에서 성공할 수 있습니다.

Ⅱ 상위권 입학 전형

1. 전국 대학교 및 계열별 정원

대한민국의 전국 대학교 숫자와 계열별 정원에 대해 알려드리겠습니다. 대한민국의 대학은 크게 4년제 대학과 전문대학(2~3년제)으로 나뉩니다. 다음은 2023년 기준으로 주요 대학 수와 계열별 정원에 대한 정보입니다.

대학 수

1) 4년제 대학: 약 200여 개

2) 전문대학(2~3년제): 약 130여 개

계열별 정원

계열별로 대학 정원은 자연계, 인문사회계, 예체능계 등으로 나뉩니다. 각 계열별 대략적인 정원은 다음과 같습니다.

1) 인문사회계열

경제학, 경영학, 사회과학, 법학, 인문학, 교육학 등

정원: 약 40%~50%

2) 자연계열

공학, 자연과학, 의학, 약학, 간호학, 수의학 등

정원: 약 30%~40%

3) 예체능계열

예술, 체육, 음악, 미술, 디자인 등

정원: 약 10%~15%

4) 기타

교양학부, 교직과정 등

정원: 약 5%~10%

세부 정보

1) 4년제 대학

서울대학교: 대한민국의 대표적인 국립대학으로, 다양한 학과와 계열이 존재합니다. 예를 들어 인문대학, 사회과학대학, 자연과학대학,

공과대학, 의과대학 등이 있습니다.

연세대학교: 사립 명문 대학으로, 인문사회계열, 자연계열, 예체능계열을 포함한 다양한 학과가 있습니다.

고려대학교: 사립 명문 대학으로, 인문대학, 자연대학, 공과대학, 의과대학 등이 있습니다.

2) 전문대학(2~3년제)

서울예술대학교: 예술 관련 학과가 주를 이루며, 연극, 영화, 음악, 미술 등 다양한 예체능 계열 학과가 있습니다.

인천전문대학: 다양한 실용학과와 직업교육과정을 제공하며, 공학, 디자인, 보건계열 등의 학과가 존재합니다.

전체 정원

대한민국의 전체 대학 정원은 매년 조금씩 변동이 있지만, 대략적으로 약 50만 명 이상입니다. 이 정원은 계열별, 지역별, 대학별로 다르게 분포되어 있습니다.

이 정보는 대략적인 개요를 제공하기 위한 것으로, 각 대학 및 계열별 정원은 매년 변동이 있을 수 있습니다. 자세한 정보는 대한민국 교육부나 각 대학의 공식 홈페이지에서 확인할 수 있습니다.

2. 대한민국의 입시 준비생

대한민국의 입시 준비생, 특히 대학 입시를 준비하는 고등학생들의 숫자는 매년 변동이 있지만, 대략적인 추정치와 통계를 통해 파악할 수 있습니다. 여기에는 고등학교 3학년 재학생, 재수생(수능을 다시 준비하는 졸업생), 검정고시를 통해 대학을 준비하는 학생 등이 포함됩니다.

대학수학능력시험(수능) 응시생 수

수능 응시생 수는 매년 교육부와 한국교육과정평가원에서 발표하는 통계자료를 통해 확인할 수 있습니다. 2023년 수능 기준으로 약 44만 명이 응시했습니다. 이는 고등학교 3학년 재학생과 재수생, 기타 응시생을 포함한 숫자입니다.

고등학교 3학년 재학생 수

고등학교 3학년 재학생 수는 대략 40만 명 정도로 추산됩니다. 이는 매년 조금씩 변동이 있지만, 최근 몇 년간의 평균 수치입니다.

재수생과 기타 응시생

재수생과 검정고시 등 기타 경로로 수능을 준비하는 학생의 수는 약 4만 명에서 6만 명 사이입니다. 재수생의 비율은 매년 수능 응시생의 약 10%~15%를 차지합니다.

전체 입시 준비생 수

이를 종합하면, 대학 입시를 준비하는 전체 입시 준비생 수는 약 44만 명에서 46만 명 정도로 추산할 수 있습니다. 이 숫자는 고등학교 3학년 재학생, 재수생, 기타 응시생을 포함한 수치입니다.

참고 자료

1) 교육부와 한국교육과정평가원 통계자료

매년 수능 응시생 수와 관련된 통계를 발표합니다.

이를 통해 매년 변화하는 입시 준비생의 수를 확인할 수 있습니다.

2) 고등학교 학생 수 통계

대한민국 통계청과 교육부에서 제공하는 고등학교 재학생 수 통계를 통해 파악할 수 있습니다.

최근 몇 년간의 고등학교 3학년 학생 수와 재수생 비율 등을 참고하여 추정할 수 있습니다.

이 정보를 바탕으로 대한민국의 입시 준비생 숫자를 이해할 수 있으며, 매년 발표되는 공식 통계를 통해 보다 정확한 최신 정보를 확인할 수 있습니다.

3. 대학교 선발방식

대한민국 대학교 선발 방식은 다양하며, 대학마다 각기 다른 전형 방식을 채택하고 있습니다. 대체로 수능 성적, 학생부(내신 성적),

논술, 면접, 실기, 그리고 다양한 입학사정관제 평가 등이 포함됩니다. 다음은 주요 선발 방식에 대한 설명입니다.

수시 모집

수시 모집은 9월부터 12월까지 진행되며, 여러 가지 전형 방법이 사용됩니다.

1) 학생부종합전형

평가 요소: 학교생활기록부, 자기소개서, 면접

특징: 학생의 전반적인 학업 성취도와 학교생활을 종합적으로 평가합니다. 학업 성적 외에도 동아리 활동, 봉사 활동, 독서 활동 등 다양한 활동이 중요한 평가 요소입니다.

2) 학생부교과전형

평가 요소: 내신 성적

특징: 학교생활기록부의 교과 성적을 중심으로 평가합니다. 일부 대

학은 면접을 추가적으로 실시하기도 합니다.

3) 논술전형

평가 요소: 논술 시험, 내신 성적

특징: 논술 시험을 통해 학생의 사고력과 논리적 표현 능력을 평가합니다. 수능 최저 학력 기준을 요구하는 대학도 있습니다.

4) 실기/특기자전형

평가 요소: 실기 시험, 특기 사항

특징: 예체능 계열에서 주로 사용되며, 실기 능력이나 특정 분야의 특기를 평가합니다.

정시 모집

정시 모집은 수능 이후인 12월부터 1월까지 진행되며, 주로 수능 성적을 중심으로 학생을 선발합니다.

1) 수능전형

평가 요소: 수능 성적

특징: 수능 성적을 중심으로 학생을 선발하며, 일부 대학은 면접이나 실기 시험을 추가로 요구하기도 합니다.

기타 전형

일부 대학은 특별 전형을 통해 특정 조건을 만족하는 학생을 선발합니다.

1) 기회균형선발전형

평가 요소: 내신 성적, 수능 성적, 면접 등

특징: 사회적 배려 대상자나 특정 지역 출신 학생 등을 대상으로 하는 전형입니다.

2) 고른기회전형

평가 요소: 내신 성적, 수능 성적, 면접 등

특징: 농어촌 지역 학생, 저소득층 학생 등 다양한 사회적 배려 대

상자를 선발합니다.

전형 요소별 세부사항

1) 수능 성적: 대부분의 대학은 수능 성적을 중요한 선발 기준으로 사용합니다. 정시 모집에서는 수능 성적이 거의 유일한 평가 요소이며, 수시 모집에서도 일부 전형에서 수능 최저 학력 기준을 요구합니다.

2) 내신 성적: 학생부 교과 전형에서는 내신 성적이 주된 평가 요소입니다. 수시 모집에서 큰 비중을 차지하며, 학생부 종합 전형에서도 참고됩니다.

3) 논술: 논술 전형을 통해 학생의 사고력과 논리력을 평가합니다. 주로 인문사회계열에서 사용되며, 수능 최저 학력 기준을 설정하는 대학도 있습니다.

4) 면접: 일부 전형에서는 면접을 통해 학생의 인성과 잠재력을 평가합니다. 학생부 종합 전형, 특기자 전형, 기회균형 선발 전형 등에서 사용됩니다.

5) 실기: 예체능 계열에서는 실기 능력을 평가하는 실기 전형이 주요 선발 방식입니다. 실기 시험의 비중이 높습니다.

대한민국 대학의 선발 방식은 수시 모집과 정시 모집으로 크게 나뉘며, 다양한 전형 방법을 통해 학생을 선발합니다. 수능 성적, 내신 성적, 논술, 면접, 실기 등 다양한 평가 요소가 사용되며, 각 대학의 전형 방법과 선발 기준은 다를 수 있으므로, 학생들은 목표 대학의 입학 전형 요강을 꼼꼼히 확인하고 준비하는 것이 중요합니다.

4. 의대 입시

대한민국의 의대 입시는 매우 경쟁적이며, 다양한 선발 방식을 통해 학생들을 선발합니다. 의대 입시는 수시와 정시로 나뉘며, 주요 전형 방법으로는 학생부 종합전형, 논술전형, 수능 성적을 중심으로 한 정시 전형 등이 있습니다. 아래에 대한민국 의대 입시에 대한 주요 내용을 정리했습니다.

수시 모집

수시 모집은 9월부터 12월까지 진행되며, 여러 가지 전형 방법이 사용됩니다.

1) 학생부 종합전형

평가 요소: 학교생활기록부(내신 성적, 비교과 활동), 자기소개서, 면접

특징: 학생의 전반적인 학업 성취도와 학교생활을 종합적으로 평가합니다. 학업 성적 외에도 동아리 활동, 봉사 활동, 연구 활동, 리더십 경험 등이 중요한 평가 요소입니다. 면접은 주로 MMI(Multiple Mini Interviews) 방식이나 심층 면접 형태로 진행됩니다.

2) 학생부 교과전형

평가 요소: 내신 성적, 면접

특징: 학교생활기록부의 교과 성적을 중심으로 평가합니다. 일부 대학은 수능 최저 학력 기준을 요구하며, 면접을 통해 추가 평가를

실시합니다.

3) 논술전형

평가 요소: 논술 시험, 내신 성적, 수능 최저 학력 기준

특징: 논술 시험을 통해 학생의 사고력과 논리적 표현 능력을 평가합니다. 논술 시험의 비중이 크며, 수능 최저 학력 기준을 충족해야 합니다.

정시 모집

정시 모집은 수능 이후인 12월부터 1월까지 진행되며, 주로 수능 성적을 중심으로 학생을 선발합니다.

1) 수능전형

평가 요소: 수능 성적

특징: 수능 성적이 주요 평가 요소이며, 의대의 경우 높은 수능 성적을 요구합니다. 주로 국어, 수학, 영어, 과학탐구 과목 성적을 평

가하며, 대학별로 과목 반영 비율이 다를 수 있습니다.

주요 전형 요소

1) 수능 성적: 정시 전형에서 가장 중요한 요소입니다. 의대 입시에서는 특히 높은 수능 성적이 필요하며, 대부분의 의대가 높은 컷라인을 가지고 있습니다.

2) 내신 성적: 수시 전형에서 중요한 요소입니다. 의대의 경우 내신 성적이 매우 높은 수준이어야 합니다.

3) 논술: 일부 대학의 수시 전형에서 중요한 평가 요소로 사용됩니다. 논술 시험은 주로 의학 관련 주제나 과학적 사고력을 평가하는 문제로 출제됩니다.

4) 면접: 학생부 종합전형과 일부 학생부 교과전형에서 실시됩니다. MMI 방식이나 심층 면접을 통해 학생의 의학적 소양, 윤리적 가치관, 문제 해결 능력 등을 평가합니다.

5) 비교과 활동: 학생부 종합전형에서 중요한 평가 요소입니다. 연

구 활동, 봉사 활동, 리더십 경험 등이 포함되며, 학생의 잠재력과 인성을 평가하는 데 사용됩니다.

입시 준비

1) 성적 관리: 고등학교 내신 성적을 꾸준히 관리하고, 수능 준비를 철저히 해야 합니다. 특히 과학탐구 과목에서 높은 성적을 받는 것이 중요합니다.

2) 비교과 활동: 봉사 활동, 동아리 활동, 연구 활동 등 다양한 비교과 활동에 참여하여 학생부를 충실히 채워야 합니다.

3) 논술 준비: 논술 전형을 준비하는 학생은 의학 관련 주제에 대한 사고력을 키우고, 논리적 글쓰기를 연습해야 합니다.

4) 면접 준비: 면접 전형을 준비하는 학생은 의학적 소양과 윤리적 가치관을 바탕으로 한 질문에 대한 답변을 준비하고, 모의 면접을 통해 연습해야 합니다.

대한민국의 의대 입시는 매우 경쟁적이며, 수능 성적, 내신 성적, 논술, 면접, 비교과 활동 등 다양한 요소를 종합적으로 평가합니다. 의대를 목표로 하는 학생들은 고등학교 시절부터 철저히 준비해야 하며, 각 대학의 전형 방법과 선발 기준을 꼼꼼히 확인하는 것이 중요합니다.

5. 치대입시

대한민국의 치의학전문대학원(치대) 입시는 매우 경쟁적이며, 다양한 선발 방식을 통해 학생들을 선발합니다. 치대 입시는 크게 수시 모집과 정시 모집으로 나뉘며, 주요 전형 방법으로는 학생부 종합 전형, 논술전형, 수능 성적을 중심으로 한 정시 전형 등이 있습니다. 다음은 대한민국 치대 입시에 대한 주요 내용을 정리한 것입니다.

수시 모집

수시 모집은 9월부터 12월까지 진행되며, 여러 가지 전형 방법이 사용됩니다.

1) 학생부 종합전형

평가 요소: 학교생활기록부(내신 성적, 비교과 활동), 자기소개서, 면접

특징: 학생의 전반적인 학업 성취도와 학교생활을 종합적으로 평가합니다. 학업 성적 외에도 동아리 활동, 봉사 활동, 연구 활동, 리더십 경험 등이 중요한 평가 요소입니다. 면접은 주로 심층 면접 형태로 진행됩니다.

2) 학생부 교과전형

평가 요소: 내신 성적, 면접

특징: 학교생활기록부의 교과 성적을 중심으로 평가합니다. 일부 대학은 수능 최저 학력 기준을 요구하며, 면접을 통해 추가 평가를 실시합니다.

3) 논술전형

평가 요소: 논술 시험, 내신 성적, 수능 최저 학력 기준

특징: 논술 시험을 통해 학생의 사고력과 논리적 표현 능력을 평가합니다. 논술 시험의 비중이 크며, 수능 최저 학력 기준을 충족해야 합니다.

정시 모집

정시 모집은 수능 이후인 12월부터 1월까지 진행되며, 주로 수능 성적을 중심으로 학생을 선발합니다.

1) 수능전형

평가 요소: 수능 성적

특징: 수능 성적이 주요 평가 요소이며, 치대의 경우 높은 수능 성적을 요구합니다. 주로 국어, 수학, 영어, 과학탐구 과목 성적을 평가하며, 대학별로 과목 반영 비율이 다를 수 있습니다.

주요 전형 요소

1) 수능 성적: 정시 전형에서 가장 중요한 요소입니다. 치대 입시에서는 특히 높은 수능 성적이 필요하며, 대부분의 치대가 높은 컷

라인을 가지고 있습니다.

2) 내신 성적: 수시 전형에서 중요한 요소입니다. 치대의 경우 내신 성적이 매우 높은 수준이어야 합니다.

3) 논술: 일부 대학의 수시 전형에서 중요한 평가 요소로 사용됩니다. 논술 시험은 주로 의학 관련 주제나 과학적 사고력을 평가하는 문제로 출제됩니다.

4) 면접: 학생부 종합전형과 일부 학생부 교과전형에서 실시됩니다. 심층 면접을 통해 학생의 치의학적 소양, 윤리적 가치관, 문제 해결 능력 등을 평가합니다.

5) 비교과 활동: 학생부 종합전형에서 중요한 평가 요소입니다. 연구 활동, 봉사 활동, 리더십 경험 등이 포함되며, 학생의 잠재력과 인성을 평가하는 데 사용됩니다.

입시 준비

1) 성적 관리: 고등학교 내신 성적을 꾸준히 관리하고, 수능 준비

를 철저히 해야 합니다. 특히 과학탐구 과목에서 높은 성적을 받는 것이 중요합니다.

2) 비교과 활동: 봉사 활동, 동아리 활동, 연구 활동 등 다양한 비교과 활동에 참여하여 학생부를 충실히 채워야 합니다.

3) 논술 준비: 논술 전형을 준비하는 학생은 치의학 관련 주제에 대한 사고력을 키우고, 논리적 글쓰기를 연습해야 합니다.

4) 면접 준비: 면접 전형을 준비하는 학생은 치의학적 소양과 윤리적 가치관을 바탕으로 한 질문에 대한 답변을 준비하고, 모의 면접을 통해 연습해야 합니다.

대한민국의 치대 입시는 매우 경쟁적이며, 수능 성적, 내신 성적, 논술, 면접, 비교과 활동 등 다양한 요소를 종합적으로 평가합니다. 치대를 목표로 하는 학생들은 고등학교 시절부터 철저히 준비해야 하며, 각 대학의 전형 방법과 선발 기준을 꼼꼼히 확인하는 것이 중요합니다.

6. 수의학과 입시

대한민국의 수의학과 입시는 의대와 치대와 마찬가지로 매우 경쟁적입니다. 수의학과 입시는 수시 모집과 정시 모집으로 나뉘며, 주요 전형 방법으로는 학생부 종합전형, 논술전형, 수능 성적을 중심으로 한 정시 전형 등이 있습니다. 다음은 대한민국 수의학과 입시에 대한 주요 내용을 정리한 것입니다.

수시 모집

수시 모집은 9월부터 12월까지 진행되며, 여러 가지 전형 방법이 사용됩니다.

1) 학생부 종합전형

평가 요소: 학교생활기록부(내신 성적, 비교과 활동), 자기소개서, 면접

특징: 학생의 전반적인 학업 성취도와 학교생활을 종합적으로 평가

합니다. 학업 성적 외에도 동아리 활동, 봉사 활동, 연구 활동, 리더십 경험 등이 중요한 평가 요소입니다. 면접은 주로 심층 면접 형태로 진행됩니다.

2) 학생부 교과전형

평가 요소: 내신 성적, 면접

특징: 학교생활기록부의 교과 성적을 중심으로 평가합니다. 일부 대학은 수능 최저 학력 기준을 요구하며, 면접을 통해 추가 평가를 실시합니다.

3) 논술전형

평가 요소: 논술 시험, 내신 성적, 수능 최저 학력 기준

특징: 논술 시험을 통해 학생의 사고력과 논리적 표현 능력을 평가합니다. 논술 시험의 비중이 크며, 수능 최저 학력 기준을 충족해야 합니다.

정시 모집

정시 모집은 수능 이후인 12월부터 1월까지 진행되며, 주로 수능 성적을 중심으로 학생을 선발합니다.

1) 수능전형

평가 요소: 수능 성적

특징: 수능 성적이 주요 평가 요소이며, 수의학과의 경우 높은 수능 성적을 요구합니다. 주로 국어, 수학, 영어, 과학탐구 과목 성적을 평가하며, 대학별로 과목 반영 비율이 다를 수 있습니다.

주요 전형 요소

1) 수능 성적: 정시 전형에서 가장 중요한 요소입니다. 수의학과 입시에서는 특히 높은 수능 성적이 필요하며, 대부분의 수의학과가 높은 컷라인을 가지고 있습니다.

2) 내신 성적: 수시 전형에서 중요한 요소입니다. 수의학과의 경우 내신 성적이 매우 높은 수준이어야 합니다.

3) 논술: 일부 대학의 수시 전형에서 중요한 평가 요소로 사용됩니다. 논술 시험은 주로 의학 관련 주제나 과학적 사고력을 평가하는 문제로 출제됩니다.

4) 면접: 학생부 종합전형과 일부 학생부 교과전형에서 실시됩니다. 심층 면접을 통해 학생의 수의학적 소양, 윤리적 가치관, 문제 해결 능력 등을 평가합니다.

5) 비교과 활동: 학생부 종합전형에서 중요한 평가 요소입니다. 연구 활동, 봉사 활동, 리더십 경험 등이 포함되며, 학생의 잠재력과 인성을 평가하는 데 사용됩니다.

입시 준비

1) 성적 관리: 고등학교 내신 성적을 꾸준히 관리하고, 수능 준비를 철저히 해야 합니다. 특히 과학탐구 과목에서 높은 성적을 받는 것이 중요합니다.

2) 비교과 활동: 봉사 활동, 동아리 활동, 연구 활동 등 다양한 비교과 활동에 참여하여 학생부를 충실히 채워야 합니다.

3) 논술 준비: 논술 전형을 준비하는 학생은 수의학 관련 주제에 대한 사고력을 키우고, 논리적 글쓰기를 연습해야 합니다.

4) 면접 준비: 면접 전형을 준비하는 학생은 수의학적 소양과 윤리적 가치관을 바탕으로 한 질문에 대한 답변을 준비하고, 모의 면접을 통해 연습해야 합니다.

대한민국의 수의학과 입시는 매우 경쟁적이며, 수능 성적, 내신 성적, 논술, 면접, 비교과 활동 등 다양한 요소를 종합적으로 평가합니다. 수의학과를 목표로 하는 학생들은 고등학교 시절부터 철저히 준비해야 하며, 각 대학의 전형 방법과 선발 기준을 꼼꼼히 확인하는 것이 중요합니다.

7. 서울대 입시

서울대학교 진학을 위한 방법은 매우 다양하며, 수시 모집과 정시 모집으로 나뉩니다. 두 가지 모집 방식 모두 높은 학업 성취도와 준비가 필요합니다. 아래에 서울대학교 진학을 위한 주요 방법과 준비 과정을 정리했습니다.

수시 모집

수시 모집은 일반적으로 9월부터 12월까지 진행됩니다. 수시 모집에는 다양한 전형 방법이 있습니다.

1) 학생부 종합전형(일반전형)

평가 요소: 학교생활기록부, 자기소개서, 면접

특징: 학생의 전반적인 학업 성취도와 학교생활을 종합적으로 평가합니다. 교과 성적 외에도 동아리 활동, 봉사 활동, 연구 활동, 리더십 경험 등이 중요한 평가 요소입니다.

준비:

학교생활기록부: 고등학교 동안 꾸준히 높은 성적을 유지하고, 다양한 활동에 적극 참여하여 기록을 충실히 채워야 합니다.

자기소개서: 자신의 경험과 활동을 통해 배운 점과 목표를 명확하

게 서술해야 합니다.

면접: 모의 면접을 통해 예상 질문에 대한 답변을 준비하고, 논리적이고 설득력 있는 표현을 연습해야 합니다.

2) 지역균형선발전형

평가 요소: 학교생활기록부, 추천서, 면접

특징: 각 지역의 우수한 인재를 선발하기 위한 전형입니다.

준비:

학교생활기록부: 전 과목에서 높은 성적을 유지하는 것이 중요합니다.

추천서: 학교 선생님이나 지도 교사에게 본인의 장점과 성취를 잘 나타낼 수 있는 추천서를 받습니다.

면접: 서울대 면접의 경우 심층 면접이므로, 자신의 경험과 활동을 논리적으로 설명할 수 있도록 준비합니다.

정시 모집

정시 모집은 수능 이후인 12월부터 1월까지 진행되며, 주로 수능 성적을 중심으로 학생을 선발합니다.

1) 수능전형

평가 요소: 수능 성적

특징: 수능 성적이 주요 평가 요소입니다. 서울대의 경우 높은 수능 성적을 요구합니다.

준비:

수능 준비: 전 과목에서 높은 성적을 받기 위해 체계적인 학습 계획을 세우고, 모의고사와 기출 문제를 통해 실전 감각을 기릅니다.

탐구 과목: 서울대는 특정 과목의 성적을 중시하므로, 자신이 지원할 학과와 관련된 과목에서 특히 높은 성적을 받도록 집중합니다.

기타 준비 사항

1) 비교과 활동

중요성: 학생부 종합전형에서는 비교과 활동이 매우 중요합니다. 학업 외에 다양한 활동에 참여하여 리더십, 사회성, 창의성 등을 평가받습니다.

준비:

동아리 활동: 자신의 관심 분야와 관련된 동아리 활동에 적극 참여합니다.

봉사 활동: 꾸준한 봉사 활동을 통해 사회적 책임감을 기르고, 이를 기록합니다.

연구 활동: 과학 경진대회, 논문 작성, 프로젝트 등을 통해 학업 외의 성취를 보여줍니다.

2) 자기소개서 및 추천서

자기소개서: 자신이 어떤 사람인지, 무엇을 성취했는지, 앞으로의 목표는 무엇인지 등을 구체적으로 서술합니다.

추천서: 선생님이나 지도 교사에게 자신의 강점과 성취를 잘 나타낼 수 있는 추천서를 받습니다.

3) 면접 준비

종합전형: 서울대 면접은 주로 심층 면접 형태로 진행됩니다. 자신의 생각을 논리적으로 표현하고, 예상 질문에 대한 답변을 준비합니다.

모의 면접: 실제 면접과 유사한 환경에서 모의 면접을 통해 연습합니다.

서울대학교 진학을 위해서는 높은 학업 성취도와 다양한 활동 참여가 필요합니다. 수시 모집과 정시 모집의 각각의 특성을 이해하고, 자신의 강점에 맞는 전형을 선택하여 준비하는 것이 중요합니다. 체계적인 학습 계획과 적극적인 비교과 활동 참여, 면접 준비 등을 통해 서울대 진학의 꿈을 이루길 바랍니다.

8. 연세대 입시

연세대학교 진학을 위해서는 수시 모집과 정시 모집 두 가지 전형 방식이 있으며, 각각 다양한 전형 방법이 존재합니다. 연세대학교는 학업 성취도뿐만 아니라 다양한 잠재력을 갖춘 학생들을 선발하기 위해 여러 가지 평가 요소를 사용합니다. 아래에 연세대학교 진학을 위한 주요 방법과 준비 과정을 정리했습니다.

수시 모집

수시 모집은 9월부터 12월까지 진행되며, 여러 가지 전형 방법이 사용됩니다.

1) 학생부 종합전형 (활동우수형)

평가 요소: 학교생활기록부, 자기소개서, 면접

특징: 학생의 전반적인 학업 성취도와 학교생활을 종합적으로 평가합니다. 교과 성적 외에도 동아리 활동, 봉사 활동, 연구 활동, 리더십 경험 등이 중요한 평가 요소입니다.

준비:

학교생활기록부: 고등학교 동안 꾸준히 높은 성적을 유지하고, 다양한 활동에 적극 참여하여 기록을 충실히 채워야 합니다.

자기소개서: 자신의 경험과 활동을 통해 배운 점과 목표를 명확하게 서술해야 합니다.

면접: 모의 면접을 통해 예상 질문에 대한 답변을 준비하고, 논리적이고 설득력 있는 표현을 연습해야 합니다.

2) 학생부 교과전형 (학교장 추천형)

평가 요소: 학교생활기록부(내신 성적), 추천서, 면접

특징: 고등학교 교과 성적이 우수한 학생들을 선발하는 전형입니다.

준비:

학교생활기록부: 전 과목에서 높은 성적을 유지하는 것이 중요합니다.

추천서: 학교 선생님이나 지도 교사에게 본인의 장점과 성취를 잘 나타낼 수 있는 추천서를 받습니다.

면접: 면접을 통해 자신의 강점을 어필할 수 있도록 준비합니다.

3) 논술전형

평가 요소: 논술 시험, 내신 성적, 수능 최저 학력 기준

특징: 논술 시험을 통해 학생의 사고력과 논리적 표현 능력을 평가합니다.

준비:

논술 준비: 논술 전형을 준비하는 학생은 다양한 주제에 대한 사고력을 키우고, 논리적 글쓰기를 연습해야 합니다.

수능 최저 학력 기준: 일부 대학은 수능 최저 학력 기준을 요구하므로 수능 준비도 병행해야 합니다.

정시 모집

정시 모집은 수능 이후인 12월부터 1월까지 진행되며, 주로 수능 성적을 중심으로 학생을 선발합니다.

1) 수능전형

평가 요소: 수능 성적

특징: 수능 성적이 주요 평가 요소이며, 연세대의 경우 높은 수능 성적을 요구합니다.

준비:

수능 준비: 전 과목에서 높은 성적을 받기 위해 체계적인 학습 계획을 세우고, 모의고사와 기출 문제를 통해 실전 감각을 기릅니다.

탐구 과목: 연세대는 특정 과목의 성적을 중시하므로, 자신이 지원할 학과와 관련된 과목에서 특히 높은 성적을 받도록 집중합니다.

주요 전형 요소

1) 수능 성적: 정시 전형에서 가장 중요한 요소입니다. 연세대 입시에서는 특히 높은 수능 성적이 필요합니다.

2) 내신 성적: 수시 전형에서 중요한 요소입니다. 연세대의 경우 내신 성적이 매우 높은 수준이어야 합니다.

3) 논술: 일부 대학의 수시 전형에서 중요한 평가 요소로 사용됩니다. 논술 시험은 주로 인문사회계열, 자연계열의 경우 과학적 사고력을 평가하는 문제로 출제됩니다.

4) 면접: 학생부 종합전형과 일부 학생부 교과전형에서 실시됩니다. 심층 면접을 통해 학생의 학문적 소양, 윤리적 가치관, 문제 해결 능력 등을 평가합니다.

5) 비교과 활동: 학생부 종합전형에서 중요한 평가 요소입니다. 연구 활동, 봉사 활동, 리더십 경험 등이 포함되며, 학생의 잠재력과 인성을 평가하는 데 사용됩니다.

입시 준비

1) 성적 관리: 고등학교 내신 성적을 꾸준히 관리하고, 수능 준비를 철저히 해야 합니다. 특히 과학탐구 과목에서 높은 성적을 받는 것이 중요합니다.

2) 비교과 활동: 봉사 활동, 동아리 활동, 연구 활동 등 다양한 비교과 활동에 참여하여 학생부를 충실히 채워야 합니다.

3) 논술 준비: 논술 전형을 준비하는 학생은 다양한 주제에 대한 사고력을 키우고, 논리적 글쓰기를 연습해야 합니다.

4) 면접 준비: 면접 전형을 준비하는 학생은 학문적 소양과 윤리적 가치관을 바탕으로 한 질문에 대한 답변을 준비하고, 모의 면접을 통해 연습해야 합니다.

연세대학교 진학을 위해서는 높은 학업 성취도와 다양한 활동 참여가 필요합니다. 수시 모집과 정시 모집의 각각의 특성을 이해하고, 자신의 강점에 맞는 전형을 선택하여 준비하는 것이 중요합니다. 체계적인 학습 계획과 적극적인 비교과 활동 참여, 면접 준비 등을 통해 연세대 진학의 꿈을 이루길 바랍니다.

9. 고려대 입시

고려대학교(Korea University)는 대한민국 서울에 위치한 국립대학으로, 국내외에서 높은 평가를 받고 있는 대학 중 하나입니다. 고려대학교의 입시에 대해 간단히 설명 드리겠습니다.

입시 전형

고려대학교의 입시는 대학별로 다양한 전형이 있지만, 대표적으로는 다음과 같습니다:

1) **수시 모집**: 전국 고등학교 졸업 예정자를 대상으로 하는 모집 방식입니다. 대학 수학능력시험(수능) 성적 이외에 봉사활동, 자소서, 인적성 검사 등이 종합적으로 반영됩니다.

2) **정시 모집**: 수능 성적을 기반으로 한 입학전형입니다. 고려대는 이를 기반으로 본인이 원하는 학과에 지원할 수 있습니다.

3) 외국인 및 국제전형: 해외에서 고등학교를 졸업한 학생들을 위한 전형으로, 토플(TOEFL)이나 같은 영어 시험 성적이 필요할 수 있습니다.

학과 및 전공

고려대학교는 다양한 학과와 전공을 제공하며, 공과대학, 경영대학, 사범대학, 법과대학 등 다양한 분야에서 교육과 연구를 진행하고 있습니다.

입학 경쟁률

고려대학교는 국내에서 인지도가 높은 대학 중 하나로, 특히 수시 모집에서는 경쟁률이 매우 높을 수 있습니다. 정시 모집에서도 인기 학과는 경쟁이 치열할 수 있습니다.

캠퍼스 생활

고려대학교는 서울 성북구에 위치하며, 교내에는 다양한 학술적, 문화적 활동을 할 수 있는 시설과 프로그램이 마련되어 있습니다.

학생들은 다양한 동아리 활동이나 학술적 행사에 참여할 수 있습니다.

글로벌 환경

고려대학교는 국제적인 교류와 협력을 강화하고 있으며, 다양한 국제 교환 프로그램을 통해 학생들에게 글로벌한 경험을 제공합니다.

Ⅲ 대학입학 시험제도

1. 개요

대한민국의 입시제도는 매우 경쟁적이고 복잡한 시스템으로, 주로 대학입시를 중심으로 이루어져 있습니다. 이 제도는 학생들의 학업 성취도를 평가하고, 대학에 입학할 학생들을 선발하는 과정을 포함합니다. 대한민국의 입시제도는 크게 수능(대학수학능력시험), 내신, 논술, 면접 등 다양한 요소로 구성되어 있습니다.

대학수학능력시험 (수능)

수능은 대한민국의 대학 입시에서 가장 중요한 시험으로, 매년 11월에 시행됩니다.

이 시험은 국어, 수학, 영어, 한국사, 사회/과학/직업탐구, 제2외국어/한문 등의 과목으로 구성되어 있습니다.

수능 점수는 대학 입시에서 큰 비중을 차지하며, 대부분의 대학이 수능 점수를 중요하게 평가합니다.

내신 성적

내신 성적은 학생이 고등학교 동안 받은 성적을 의미합니다.

내신 성적은 학교별로 다르게 계산되며, 대학마다 내신 성적을 반영하는 방식도 다양합니다.

내신 성적은 일반적으로 수능과 함께 대학 입시에서 중요한 요소로 작용합니다.

논술 시험

일부 대학에서는 논술 시험을 통해 학생의 사고력과 표현력을 평가합니다.

논술 시험은 주로 인문계열 대학에서 많이 실시되며, 수능 성적과 함께 합격 여부를 결정하는 데 사용됩니다.

면접

면접은 학생의 인성과 잠재력을 평가하는 과정입니다.

의대, 치대, 한의대 등 특정 학과나 특수목적대학에서는 면접이 중요한 평가 요소로 작용합니다.

특기자 전형

예체능, 과학, 외국어 등 특정 분야에서 뛰어난 능력을 가진 학생들을 선발하는 전형입니다.

해당 분야의 경시대회 입상 실적이나 특기 사항 등을 바탕으로 평가합니다.

학생부 종합 전형

학생의 학업 성취도 외에도 동아리 활동, 봉사활동, 독서 활동 등 다양한 학생부 기록을 종합적으로 평가하는 전형입니다.

대학별로 평가 기준이 다르며, 최근 들어 많은 대학들이 학생부 종합 전형을 확대하고 있습니다.

대한민국의 입시제도는 이처럼 다양한 평가 요소를 통해 학생들의 능력을 다각도로 평가하고자 합니다. 이는 학생들이 고등학교 생활 전반에 걸쳐 균형 있게 성장할 수 있도록 유도하는 한편, 높은 경쟁률과 스트레스도 수반하게 됩니다.

2. 대학수학능력시험

대학수학능력시험(대수능 또는 수능)은 대한민국에서 고등학교를 졸업하거나 이에 상응하는 학력을 가진 사람들이 대학 입학을 위해 치르는 시험입니다. 수능은 한국교육과정평가원에서 주관하며, 매년 11월 셋째 주 목요일에 실시됩니다. 수능은 학생들이 대학 입학을 위해 필요한 학업 능력을 평가하는 시험으로, 매우 중요한 시험 중 하나입니다.

시험 과목

2024학년도 대학수학능력시험(수능)의 영역별 출제 범위는 다음과 같습니다. 각 영역은 과목별로 세부 출제 범위가 다르므로,
지원하는 대학과 전공에 따라 해당 과목의 출제 범위를 자세히
살펴보는 것이 중요합니다.

1) 국어 영역

화법과 작문: 화법의 이해와 적용, 작문의 과정과 방법

언어와 매체: 언어의 본질과 기능, 매체의 특성과 활용

독서: 다양한 분야의 글을 읽고 이해하는 능력 평가

문학: 고전 문학과 현대 문학 작품의 이해와 감상

2) 수학 영역

수학 영역은 선택 과목에 따라 출제 범위가 달라집니다.

공통 과목

수학 I : 다항식, 방정식과 부등식, 도형의 방정식

수학 II : 함수, 수열, 미분과 적분의 기초

선택 과목

미적분: 함수의 극한과 연속, 미분법, 적분법

확률과 통계: 경우의 수, 확률, 통계

기하: 평면 곡선, 공간 도형, 벡터

3) 영어 영역

듣기 및 말하기: 듣기 평가를 통해 의사소통 능력 평가

읽기: 다양한 종류의 글을 읽고 이해하는 능력 평가

쓰기: 주어진 자료를 바탕으로 글을 쓰는 능력 평가

4) 탐구 영역

탐구 영역은 사회탐구와 과학탐구로 나뉘며, 각각 선택 과목에 따라 출제 범위가 달라집니다.

사회탐구

생활과 윤리: 생활 윤리, 윤리 이론, 다양한 윤리 문제

윤리와 사상: 동서양의 윤리 사상, 현대 윤리 문제

한국사: 한국사의 주요 사건과 인물, 시대별 역사

세계사: 세계사의 주요 사건과 인물, 시대별 역사

동아시아사: 동아시아 지역의 역사와 문화

경제: 경제 이론과 실생활 적용

정치와 법: 정치 이론과 법률, 정치 제도

사회·문화: 사회 구조와 문화, 사회 현상 분석

지리: 지리 이론과 지리 현상, 세계 각 지역의 특성

과학탐구

물리학Ⅰ, Ⅱ: 역학, 열역학, 전자기학, 현대 물리학

화학Ⅰ, Ⅱ: 화학의 기초 개념, 화학 반응, 물질의 특성

생명과학Ⅰ, Ⅱ: 생명 현상의 기초, 생명체의 구조와 기능, 생태계

지구과학Ⅰ, Ⅱ: 지구의 구조와 역사, 기상학, 천문학

5) 제2외국어/한문 영역

중국어, 일본어, 독일어, 프랑스어, 스페인어, 러시아어, 아랍어, 베트남어, 한문: 각 언어의 문법, 어휘, 독해, 문화 이해

6) 한국사 영역

한국사의 주요 사건과 인물, 시대별 역사

수능 출제 범위는 매년 약간씩 변동될 수 있으므로, 수능을 준비하는 학생은 최신 교육과정을 참고하여 출제 범위를 정확히 확인하는 것이 중요합니다. 또한, 교육부와 한국교육과정평가원에서

제공하는 공식 자료와 수능 모의고사 등을 통해 최신 출제 경향을 파악하는 것이 도움이 됩니다.

시험 구조

수능은 객관식 문제와 일부 주관식 문제로 구성되어 있습니다. 각 과목은 여러 개의 선택형 문제로 이루어져 있으며, 정해진 시간 내에 문제를 풀어야 합니다.

시험 점수

수능 점수는 상대평가로 평가되며, 각 과목의 표준점수, 백분위, 등급이 부여됩니다. 표준점수는 원점수를 기준으로 난이도를 고려하여 산출되며, 백분위는 전국에서 자신의 위치를 나타내는 점수입니다. 등급은 성적을 9개 등급으로 나눈 것입니다.

수능의 중요성

수능은 대부분의 대학 입시에서 중요한 요소로 작용합니다. 수능 성적은 대학에 지원할 때 중요한 기준이 되며, 일부 대학은 수능 성적을 전적으로 반영하기도 합니다. 따라서 많은 학생들이 수능 준비에 많은 시간을 투자합니다.

준비 방법

1) **계획적인 학습**: 효율적인 학습 계획을 세우고 꾸준히 실천하는 것이 중요합니다.

2) **모의고사**: 실제 시험과 유사한 모의고사를 통해 실전 감각을 익힙니다.

3) **개념 정리**: 각 과목의 기본 개념을 철저히 이해하고 정리합니다.

4) **기출문제 풀이**: 이전 년도의 기출문제를 풀어보며 출제 경향을 파악합니다.

5) **시간 관리**: 시험 시간 안에 문제를 모두 풀 수 있도록 시간 관리 연습을 합니다.

수능은 많은 학생들에게 큰 부담이 되지만, 이를 통해 대학 입학의 꿈을 이루기 위해 노력하는 과정에서 많은 것을 배우고 성장할 수 있습니다.

3. 내신성적

내신 성적은 학생이 고등학교 재학 중에 학습한 교과목의 성취도를 평가하여 산출한 성적을 말합니다. 내신 성적은 대학 입시에 있어 수능 성적과 함께 중요한 평가 요소로 작용합니다. 내신 성적은 학생의 학교 생활과 학업 성취를 종합적으로 평가하는 지표로 사용됩니다.

내신 성적의 평가 방식

내신 성적은 주로 학교에서 실시하는 중간고사와 기말고사, 수행평가 등을 종합하여 산출됩니다. 학교마다 다소 차이가 있을 수 있지만, 대체로 다음과 같은 평가 요소를 포함합니다.

1) 중간고사와 기말고사: 학기 중에 치르는 주요 시험

2) 수행 평가: 과제, 발표, 보고서 작성 등 다양한 형태의 평가

3) 출석 점수: 출석률에 따라 부여되는 점수

4) 기타: 수업 태도, 참여도 등

내신 성적의 반영 방법

대학별로 내신 성적을 반영하는 방식에는 차이가 있으나, 일반적으로 다음과 같은 방식을 사용합니다.

1) 학생부 교과 전형: 내신 성적을 주요 평가 요소로 반영하는 전형. 수능 성적보다는 내신 성적이 더 중요한 전형입니다.

2) 종합 전형: 내신 성적 외에도 다양한 요소(동아리 활동, 봉사활동, 리더십 활동 등)를 종합적으로 평가하는 전형. 내신 성적이 일정 비율로 반영됩니다.

3) 수능 최저 학력 기준: 내신 성적이 우수하더라도 수능에서 일정 기준을 충족해야 합격할 수 있는 경우가 있습니다.

내신 성적 산출 방법

내신 성적은 상대평가와 절대평가로 나뉘어 산출됩니다.

1) 상대평가: 동일 학년 학생들의 성적을 기준으로 상대적인 순위를 매겨 산출. 예를 들어, 상위 4% 이내에 해당하는 학생에게 1등급을 부여하는 방식

2) 절대평가: 절대적인 기준에 따라 성적을 부여. 일정 점수 이상이면 해당 등급을 부여하는 방식

내신 성적 관리 방법

1) 꾸준한 학습: 매일 일정한 시간을 정해 복습하고 예습하는 습관을 기릅니다.

2) 시험 준비: 중간고사와 기말고사에 대비해 체계적으로 공부합니다.

3) 수행 평가: 과제나 발표, 보고서 등의 수행 평가에도 성실히 임합니다.

4) 출석: 출석 점수도 내신 성적에 반영되므로 성실한 출석이 중요합니다.

5) 교사와의 소통: 수업 시간에 적극적으로 참여하고 교사와 소통합니다.

내신 성적은 학생의 일상적인 학업 성취도를 반영하므로, 꾸준하고 성실한 학습 태도가 중요합니다. 내신 성적은 대학 입시에 중요한 역할을 하므로, 학교 생활 동안 철저히 관리하는 것이 필요합니다.

4. 논술시험

논술시험은 대학 입시에서 지원자의 사고력, 표현력, 문제 해결 능력을 평가하기 위해 시행되는 시험입니다. 주로 상위권 대학에서 실시하며, 학생의 전반적인 학업 능력뿐만 아니라 깊이 있는 사고와 논리적인 글쓰기 능력을 평가하는 중요한 도구로 사용됩니다.

논술시험의 목적

1) **사고력 평가**: 복잡한 문제를 이해하고 분석하는 능력을 평가

2) **표현력 평가**: 자신의 생각을 논리적으로 정리하고 명확하게 전달하는 능력을 평가

3) **창의력 평가**: 독창적인 아이디어를 제시하고 문제를 해결하는 능력을 평가

논술시험의 유형

논술시험은 대학마다 다소 차이가 있으나, 일반적으로 다음과 같은 유형으로 구성됩니다.

1) **인문/사회 계열**: 주어진 제시문을 바탕으로 문제를 분석하고 자신의 견해를 논리적으로 서술

2) **자연/공학 계열**: 수학적, 과학적 문제를 해결하고 그 과정을 논

리적으로 설명

3) **종합형**: 다양한 분야의 제시문을 바탕으로 통합적인 사고와 분석을 요구하는 문제

준비 방법

1) **기본 개념 학습**: 각 과목의 기본 개념과 원리를 철저히 이해

2) **기출문제 분석**: 이전 년도의 기출문제를 풀어보며 출제 경향을 파악

3) **논리적 사고 훈련**: 다양한 주제에 대해 자신의 견해를 논리적으로 전개하는 연습

4) **글쓰기 연습**: 명확하고 일관성 있는 글쓰기를 위한 연습

5) **모의 논술시험**: 실제 시험과 유사한 환경에서 모의 논술시험을 치르며 실전 감각을 익힘

논술시험의 반영 방법

대학마다 논술시험을 반영하는 방식에는 차이가 있지만, 일반적으로 다음과 같은 방식으로 반영됩니다.

1) **비율 반영**: 수능 성적과 내신 성적과 함께 일정 비율로 반영

2) **최저 학력 기준**: 논술시험 성적이 우수하더라도 수능이나 내신 성적에서 일정 기준을 충족해야 합격할 수 있는 경우

3) **특별 전형**: 논술시험 성적을 주된 평가 요소로 반영하는 전형

논술시험의 특징

1) **고난이도**: 논술시험은 높은 수준의 사고력과 논리적 글쓰기 능력을 요구합니다.

2) **대학별 차이**: 대학마다 출제 경향과 난이도가 다르기 때문에, 지원하려는 대학의 기출문제를 분석하고 준비하는 것이 중요합니다.

3) **종합 평가**: 논술시험은 단순히 지식을 평가하는 것이 아니라, 지원자의 종합적인 학업 능력과 사고력을 평가합니다.

논술시험은 대학 입시에서 중요한 역할을 하며, 이를 통해 지원자의 잠재력과 학업 능력을 종합적으로 평가합니다. 철저한 준비와 꾸준한 연습이 논술시험에서 좋은 성과를 얻는 데 필수적입니다.

5. 면접

면접은 대학 입시에서 지원자의 인성, 가치관, 학업 능력, 진로 계획 등을 종합적으로 평가하기 위해 실시되는 과정입니다. 특히, 주요 대학의 입학 전형에서 중요한 평가 요소로 작용하며, 학생의 다양한 능력과 자질을 직접 확인할 수 있는 기회를 제공합니다.

면접의 목적

1) **인성 평가**: 지원자의 성격, 태도, 가치관 등을 평가

2) **학업 능력 평가**: 전공과 관련된 기초 지식과 학업 능력을 평가

3) **의사소통 능력 평가**: 질문에 대한 답변을 통해 지원자의 의사소통 능력과 논리적 사고를 평가

4) **진로 계획 평가**: 지원자의 진로 계획과 목표의 명확성을 평가

면접의 유형

면접의 유형은 대학과 전형에 따라 다양하게 나뉘지만, 일반적으로 다음과 같은 유형이 있습니다.

1) **일반 면접**: 지원자의 인성, 가치관, 학교 생활, 진로 계획 등을 묻는 면접. 주로 인문계열에서 많이 실시

2) **전공 면접**: 지원하고자 하는 전공과 관련된 기초 지식과 관심

분야에 대해 묻는 면접. 자연계열, 공학계열에서 많이 실시

3) **심층 면접**: 복잡한 문제 상황을 제시하고, 지원자가 문제를 해결하는 과정을 평가. 종합적인 사고력과 문제 해결 능력을 평가

4) **토론 면접**: 주어진 주제에 대해 여러 지원자가 토론을 진행하며, 논리적 사고와 의사소통 능력을 평가

5) **다면 평가 면접**(MMI, Multiple Mini Interview): 여러 개의 면접실을 돌며 짧은 시간 동안 다양한 상황과 질문에 답하는 방식. 주로 의학계열에서 많이 실시

준비 방법

1) **자기소개서 및 학업 계획서 숙지**: 자신이 작성한 자기소개서와 학업 계획서를 충분히 숙지하고 예상 질문에 대한 답변을 준비

2) **모의 면접 연습**: 실제 면접 상황을 가정한 모의 면접을 통해 실전 감각을 익힘

3) **기본 예절과 태도 연습**: 면접장에서의 기본 예절과 태도를 연습. 복장, 인사, 말투 등을 신경 써야 함

4) **전공 관련 기초 지식 학습**: 전공 면접을 대비해 관련 기초 지식을 학습

5) **시사 및 일반 교양 지식 습득**: 다양한 시사 문제와 일반 교양 지식에 대해 공부

면접의 반영 방법

대학마다 면접 점수를 반영하는 방식은 다르지만, 일반적으로 다음과 같은 방식을 사용합니다.

1) **비율 반영**: 면접 점수를 일정 비율로 반영

2) **최저 학력 기준**: 면접 성적이 우수하더라도 수능이나 내신 성적에서 일정 기준을 충족해야 합격할 수 있는 경우

3) **합격 여부 결정**: 면접 점수가 일정 기준 이상일 경우 합격 여부를 결정

면접의 특징

1) **직접 평가**: 지원자의 인성, 태도, 의사소통 능력 등을 직접 확인할 수 있는 기회

2) **대학별 차이**: 대학마다 면접 방식과 질문 유형이 다르기 때문에, 지원하려는 대학의 면접 방식을 사전에 파악하고 준비하는 것이 중요

3) **변별력**: 다른 전형 요소와 달리 지원자의 다양한 능력과 자질을 종합적으로 평가할 수 있어, 변별력이 높음

면접 잘 보는 요령

대학 입시 면접에서 좋은 인상을 남기고 높은 점수를 받기 위해서는 철저한 준비와 연습이 필요합니다. 다음은 대학 입시 면접을 잘 보는 데 도움이 되는 팁입니다.

1) 자기소개서 및 학업계획서 숙지

내용 숙지: 자신이 작성한 자기소개서와 학업계획서를 꼼꼼히 읽고, 면접에서 예상되는 질문에 대비합니다.

일관성 유지: 면접에서 답변할 때 자기소개서와 일관된 내용을 이야기해야 신뢰감을 줍니다.

2) 모의 면접 연습

실전 연습: 실제 면접 상황을 가정한 모의 면접을 통해 실전 감각을 익힙니다. 친구나 가족, 선생님과 함께 연습해보세요.

피드백 받기: 모의 면접 후 피드백을 받아 부족한 점을 보완합니다.

3) 기본 예절과 태도

복장: 단정하고 깔끔한 복장을 준비합니다. 과도한 액세서리나 화려한 옷차림은 피합니다.

인사: 면접관에게 들어갈 때와 나올 때 인사를 정중하게 합니다.

자세: 면접 중에는 바른 자세를 유지하고, 면접관의 눈을 바라보며 대답합니다.

표정: 밝고 긍정적인 표정을 유지합니다.

4) 예상 질문 준비

자기소개: 간결하고 자신 있게 자기소개를 준비합니다. 자신의 강점과 장점을 어필하세요.

지원 동기: 왜 해당 대학과 전공을 선택했는지 명확히 설명할 수 있어야 합니다.

학업 계획: 입학 후 학업 계획과 목표에 대해 구체적으로 이야기합니다.

시사 및 전공 관련 질문: 전공과 관련된 기본 지식과 시사 문제에 대해 공부해 두세요.

5) 커뮤니케이션 능력

논리적 답변: 질문에 대한 답변을 논리적으로 전개합니다. 서론, 본론, 결론 구조로 답변하면 좋습니다.

명확한 발음: 천천히, 또박또박 말해 면접관이 이해하기 쉽게 합니다.

질문 경청: 면접관의 질문을 끝까지 경청하고, 질문을 잘 이해한 후 답변합니다.

6) 자주 묻는 질문

장단점: 자신의 장단점을 솔직하게 이야기하되, 단점을 보완하기 위한 노력을 강조합니다.

어려운 상황 극복 경험: 어려운 상황을 극복한 경험을 통해 자신의 문제 해결 능력을 어필합니다.

팀워크 경험: 팀 활동 경험과 팀워크의 중요성을 설명합니다.

7) 시사 문제와 일반 교양

시사 이슈: 최신 시사 문제에 대해 공부하고, 자신의 견해를 논리적으로 말할 수 있도록 준비합니다.

교양 지식: 다양한 교양 지식에 대해 공부하고, 관련 질문에 답변할 수 있도록 준비합니다.

8) 당일 준비

여유 시간 확보: 면접 당일에는 시간 여유를 두고 도착해 긴장을 풀고 준비합니다.

긴장 관리: 심호흡을 하거나 간단한 스트레칭으로 긴장을 풀어주세요.

예상치 못한 상황 대비: 예상치 못한 질문이나 상황에 대비해 침착하게 대처하는 연습을 합니다.

9) 긍정적인 마인드

자신감: 자신감을 가지고 면접에 임합니다. 긍정적인 태도는 좋은 인상을 남깁니다.

긍정적인 태도: 면접관의 질문에 대해 긍정적이고 적극적으로 답변합니다.

면접은 대학 입시에서 중요한 역할을 하며, 지원자의 다양한 능력과 자질을 종합적으로 평가합니다. 철저한 준비와 연습이 면접에서 좋은 성과를 얻는 데 필수적입니다.

6. 특기자전형

특기자 전형은 대학 입시에서 학업 성적 이외에 특정 분야에서 탁월한 능력을 보유한 학생을 선발하기 위한 전형입니다. 이는 주로 예체능, 외국어, 과학, 수학 등 특정 분야에서 뛰어난 성과를 낸 학생들을 대상으로 하며, 대학에서는 다양한 인재를 확보하고자 특기자 전형을 운영합니다.

특기자 전형의 목적

1) **다양한 인재 선발**: 학업 성적뿐만 아니라 다양한 분야에서 뛰어난 능력을 보유한 학생을 선발합니다.

2) **특정 분야의 전문성**: 특정 분야에서 뛰어난 성과를 보인 학생들이 자신의 능력을 발전시킬 수 있는 환경을 제공합니다.

3) **대학의 다양성**: 다양한 배경과 능력을 가진 학생들이 대학에 입학함으로써 대학의 다양성을 증진시킵니다.

특기자 전형의 종류

특기자 전형은 여러 가지 분야에서 운영될 수 있으며, 대학마다 다소 차이가 있습니다. 일반적으로 다음과 같은 분야에서 특기자 전형이 운영됩니다.

1) **예체능**: 음악, 미술, 체육 등 예술과 체육 분야에서 우수한 성과를 보인 학생

2) **과학/수학**: 과학 경시대회, 수학 올림피아드 등에서 우수한 성적을 거둔 학생

3) **외국어**: 외국어 능력 시험에서 높은 점수를 받은 학생이나 국제 대회에서 우수한 성과를 낸 학생

4) **기타**: 프로그래밍, 로봇 경진대회 등 특정 분야에서 두각을 나타낸 학생

특기자 전형의 평가 요소

대학마다 특기자 전형의 평가 기준은 다를 수 있지만, 일반적으로 다음과 같은 요소들이 평가됩니다.

1) **입상 경력**: 국내외 대회에서 입상한 경력

2) **자격증**: 특정 분야에서의 자격증이나 인증서

3) **포트폴리오**: 자신의 성과를 정리한 포트폴리오

4) **추천서**: 해당 분야에서의 능력을 증명할 수 있는 추천서

5) **면접**: 지원자의 열정, 목표, 태도를 평가하기 위한 면접

준비 방법

1) **포트폴리오 준비**: 자신의 성과를 정리한 포트폴리오를 준비합니다. 작품, 대회 수상 경력, 자격증 등을 포함합니다.

2) **대회 참가**: 해당 분야의 대회나 경연에 적극적으로 참가해 성과를 쌓습니다.

3) **자격증 취득**: 관련 분야의 자격증을 취득해 자신의 능력을 증명합니다.

4) **추천서 준비**: 해당 분야에서 자신의 능력을 잘 알고 있는 전문가나 지도자로부터 추천서를 받습니다.

5) **면접 준비**: 면접에서 자신의 열정과 목표를 잘 전달할 수 있도록 준비합니다.

특기자 전형의 장단점

장점

1) 학업 성적 외의 능력을 인정받을 수 있습니다.

2) 자신이 뛰어난 분야에서 더 발전할 수 있는 기회를 얻습니다.

3) 대학의 다양한 인재 선발을 통해 다양성을 증진시킵니다.

단점

1) 특정 분야에서의 뛰어난 성과가 필요하므로 준비에 많은 시간이 필요할 수 있습니다.

2) 일부 전형은 경쟁률이 높아 높은 수준의 준비가 필요합니다.

특기자 전형은 자신의 특기를 살려 대학에 입학할 수 있는 좋은 기회입니다. 충분한 준비와 노력으로 자신의 강점을 부각시키면 좋은 결과를 얻을 수 있을 것입니다.

7. 학생부 종합 전형

학생부 종합 전형(학생부종합전형, 학종)은 고등학교 생활 전반을 평가하여 대학 입학을 결정하는 전형 방식입니다. 이는 내신 성적뿐만 아니라 다양한 비교과 활동을 종합적으로 평가하여 학생의 잠재력, 인성, 성장 가능성을 판단하는 전형입니다.

학생부 종합 전형의 특징

1) **종합 평가**: 내신 성적 외에도 학생의 다양한 활동, 봉사, 동아리 활동, 수상 경력 등을 종합적으로 평가합니다.

2) **서류 평가**: 학생부, 자기소개서, 추천서 등을 통해 학생의 역량과 잠재력을 평가합니다.

3) **면접 평가**: 일부 대학은 면접을 통해 학생의 사고력, 표현력, 인성을 평가합니다.

평가 요소

1) **학생부(학교생활기록부)**

교과 성적: 내신 성적

비교과 활동: 동아리 활동, 봉사 활동, 수상 경력, 리더십 활동, 진로 활동 등

세부능력 및 특기사항(세특): 교과목별 세부 사항과 활동 내용을 기록

행동 특성 및 종합 의견: 담임 교사의 의견

2) **자기소개서**

학업 동기: 학업에 대한 열정과 동기

진로 계획: 진로에 대한 명확한 목표와 계획

활동 경험: 비교과 활동에서 얻은 경험과 배움

3) **추천서**(필요 시)

교사 추천서: 학생의 학업 성취도, 인성, 리더십 등을 평가

4) 면접

대면 평가: 지원자의 사고력, 표현력, 인성 등을 평가

준비 방법

1) **학교생활기록부 관리**:

성실한 학업 태도: 꾸준한 학업 성취도 관리.

비교과 활동: 다양한 비교과 활동에 적극적으로 참여. 동아리 활동, 봉사 활동, 리더십 활동 등을 통해 다양한 경험을 쌓습니다.

세부능력 및 특기사항(세특): 교과목별로 깊이 있는 학습과 활동을 기록.

2) **자기소개서 작성**:

진솔함: 자신의 경험과 생각을 진솔하게 작성.

구체적 사례 제시: 구체적인 사례를 통해 자신의 역량을 어필.

체계적인 구성: 서론, 본론, 결론 구조로 논리적으로 작성.

3) **추천서 준비**(필요 시):

관계 형성: 교사와의 좋은 관계를 유지하고, 추천서를 부탁할 때는 충분한 시간을 두고 요청.

4) **면접 준비**:

모의 면접: 실제 면접 상황을 가정한 모의 면접을 통해 실전 감각을 익힘.

예상 질문 준비: 자주 나오는 질문들에 대해 답변을 준비하고 연습.

대학 및 학과 정보 숙지: 지원하는 대학과 학과에 대한 충분한 이해.

장단점

장점:

1) **다양한 평가 요소**: 학업 성적뿐만 아니라 다양한 활동과 경험을 평가받을 수 있습니다.

2) **잠재력 평가**: 학생의 잠재력과 성장 가능성을 평가하여, 학업 이외의 역량을 인정받을 수 있습니다.

3) **자기 주도적 학습**: 비교과 활동을 통해 자기 주도적 학습과 다양한 경험을 쌓을 수 있습니다.

단점:

1) **준비 부담**: 내신 성적 외에도 다양한 비교과 활동을 준비해야 하므로 준비에 많은 시간이 필요합니다.

2) **주관적 평가**: 서류와 면접의 평가가 주관적일 수 있습니다.

3) **경쟁 심화**: 인기 대학 및 학과의 경우 경쟁이 매우 치열할 수

있습니다.

학생부 종합 전형은 다양한 경험과 활동을 통해 자신의 역량을 어필할 수 있는 좋은 기회입니다. 체계적이고 계획적인 준비를 통해 자신만의 강점을 잘 드러내는 것이 중요합니다.

2부

대학 입시를 위한 공부법

Ⅰ 대학입시를 위한 단계별 준비방법

1. 영유아기

대학 입시 준비는 보통 중고등학교 시기에 집중되지만, 영유아기 시기부터 준비할 수 있는 여러 방법이 있습니다. 이 시기는 특히 아이의 전반적인 발달과 학습 태도를 형성하는 데 중요한 시기입니다. 아래에 영유아기 시기부터 대학 입시를 준비하는 방법을 제시하겠습니다.

기본 습관 형성

1) **독서 습관**: 책 읽기는 언어 능력과 사고력을 발달시키는 데 매우 중요합니다. 매일 일정 시간 동안 아이와 함께 책을 읽는 습관을 들입니다.

2) **학습 태도**: 아이가 학습을 즐길 수 있도록 긍정적인 학습 환경을 조성합니다. 학습에 대한 긍정적인 태도는 장기적으로 큰 도움이 됩니다.

3) **규칙적인 생활**: 규칙적인 수면 시간, 식사 시간, 놀이 시간 등을 유지하여 건강한 생활 습관을 기릅니다.

창의력과 문제 해결 능력 개발

1) **놀이 중심의 학습**: 다양한 놀이를 통해 창의력과 문제 해결 능력을 키울 수 있습니다. 블록 쌓기, 퍼즐 맞추기, 미술 활동 등이 도움이 됩니다.

2) **탐구 활동**: 자연 탐구, 과학 실험 등 호기심을 자극하는 활동을 통해 아이의 탐구심을 길러줍니다.

사회성 및 정서 발달

1) **사회적 활동 참여**: 또래 친구들과의 놀이를 통해 사회성을 기릅니다. 유치원, 놀이 그룹, 다양한 단체 활동 참여가 도움이 됩니다.

2) **정서적 지원**: 아이의 감정을 이해하고 지지하는 환경을 조성하여 정서적으로 안정되도록 돕습니다.

다양한 경험 제공

1) **문화 체험**: 박물관, 미술관, 도서관 방문 등을 통해 다양한 문화를 경험하게 합니다.

2) **스포츠 활동**: 체육 활동을 통해 신체 발달과 협동심을 기릅니다.

언어 능력 강화

이중 언어 교육: 가능하다면 이중 언어 교육을 통해 다양한 언어 능력을 기릅니다. 이는 나중에 입시에 큰 도움이 될 수 있습니다.

말하기와 듣기 훈련: 일상 대화에서 풍부한 어휘를 사용하고, 아이가 표현할 기회를 많이 주어 언어 능력을 발달시킵니다.

부모의 역할

1) **모델링**: 부모가 독서, 학습, 규칙적인 생활 습관을 통해 좋은 모델이 되는 것이 중요합니다.

2) **지원과 격려**: 아이의 성취를 칭찬하고, 도전에 대해 격려함으로써 긍정적인 자기 개념을 형성하게 돕습니다.

영유아기 시기의 이러한 준비들은 아이가 자라면서 점차 대학 입시 준비의 기초가 됩니다. 중요한 것은 강요가 아닌 자연스러운 환경 속에서 아이가 다양한 경험을 하도록 돕는 것입니다.

2. 초등학교

초등학교 시기부터 대학 입시를 위해 준비하는 것은 너무 이른 시기처럼 보일 수 있지만, 이 시기에 학습 습관과 다양한 경험을 통해 기초를 다지는 것은 중요합니다. 다음은 초등학교 시기부터 대학 입시를 위해 준비할 수 있는 방법들입니다.

기초 학습 능력 향상

1) **독서 습관**: 다양한 책을 읽어 독서 습관을 기르고, 이해력과 어휘력을 키웁니다. 독서는 전 과목 학습에 도움이 됩니다.

2) **기초 학습 습관**: 규칙적으로 공부하는 습관을 기릅니다. 매일 일정 시간을 정해 공부하고 숙제를 합니다.

3) **기본 개념 이해**: 국어, 수학, 과학 등 주요 과목의 기본 개념을 철저히 이해하도록 도와줍니다.

다양한 경험 쌓기

1) **방과 후 활동**: 다양한 방과 후 활동에 참여해 다양한 경험을 쌓습니다. 예체능, 과학 실험, 코딩 등 흥미 있는 활동을 찾습니다.

2) **취미 활동**: 예술, 스포츠, 음악 등 다양한 취미 활동을 통해 창의성과 협동심을 기릅니다.

3) **캠프와 체험 학습**: 자연 체험, 과학 캠프, 역사 탐방 등 다양한 캠프와 체험 학습에 참여해 새로운 경험을 합니다.

인성 교육

1) **가족과의 시간**: 가족과 함께 시간을 보내며 소통과 유대감을 강

화합니다.

2) **도덕적 가치관**: 올바른 도덕적 가치관과 사회적 규범을 배우도록 합니다. 예의 바른 행동과 타인에 대한 배려를 가르칩니다.

3) **봉사 활동**: 지역 사회에서의 봉사 활동을 통해 나눔과 배려의 가치를 배웁니다.

학습 동기 부여

1) **긍정적 피드백**: 학습에 대한 긍정적인 피드백을 주어 자존감을 높입니다.

2) **목표 설정**: 작은 목표를 설정하고 달성하는 경험을 통해 성취감을 느끼게 합니다.

3) **흥미 유발**: 아이의 흥미와 호기심을 자극하는 학습 방법을 찾아 줍니다.

교과 외 활동

1) **독서 활동**: 다양한 주제의 독서 활동을 통해 폭넓은 지식을 쌓습니다. 독서 후 독후감을 작성하는 것도 좋은 방법입니다.

2) **창의적 활동**: 미술, 음악, 체육 등 창의적 활동을 통해 창의력과 감성을 키웁니다.

3) **토론과 발표**: 다양한 주제에 대해 토론하고 발표하는 연습을 통해 논리적 사고력과 의사소통 능력을 키웁니다.

부모의 역할

1) **지원과 격려**: 자녀가 스스로 학습할 수 있도록 지원하고 격려합니다.

2) **관심과 대화**: 자녀의 학습과 활동에 관심을 가지고 대화를 나눕니다.

3) **모델링**: 부모가 독서하는 모습을 보여주고, 자녀와 함께 공부하는 시간을 가지며 학습의 중요성을 강조합니다.

건강 관리

1) **균형 잡힌 식사**: 균형 잡힌 식사를 통해 건강을 유지합니다.

2) **충분한 수면**: 충분한 수면을 통해 뇌를 쉬게 하고 학습 효과를 높입니다.

3) **규칙적인 운동**: 규칙적인 운동을 통해 체력을 기르고 스트레스를 해소합니다.

온라인 학습 자원 활용

1) **교육 앱과 웹사이트**: 다양한 교육 앱과 웹사이트를 활용해 학습을 재미있게 할 수 있도록 합니다.

2) **코딩과 프로그래밍**: 초등학생을 위한 기초 코딩과 프로그래밍 교육을 통해 논리적 사고력을 키웁니다.

미래 진로 탐색

1) **다양한 직업 체험**: 다양한 직업 체험 활동에 참여해 자신의 흥미와 적성을 탐색합니다.

2) **진로 상담**: 부모와 교사와 함께 진로에 대해 이야기하고, 다양한 가능성을 열어둡니다.

초등학교 시기는 기본적인 학습 습관을 기르고 다양한 경험을 통해 폭넓은 시야를 가지게 하는 것이 중요합니다. 이 시기에 기른 기초 능력과 태도는 중학교, 고등학교, 나아가 대학 입시와 이후의 학업 및 생활에 큰 영향을 미칩니다.

3. 중등학교

중등학교(중학교) 시기는 대학 입시를 위한 중요한 기초를 다지는 시기입니다. 이 시기에는 학업뿐만 아니라 다양한 활동을 통해 자신의 적성을 발견하고 발전시킬 수 있는 기회를 가지는 것이 중요합니다. 다음은 중등학교 시기에 대학 입시를 위해 준비할 수 있는 방법들입니다.

학업 성취도 향상

1) **기초 개념 이해**: 각 과목의 기초 개념을 철저히 이해하고, 심화 학습을 통해 학업 성취도를 높입니다.

2) **자기주도 학습**: 자기주도 학습 능력을 길러 스스로 공부하는 습관을 기릅니다. 계획을 세우고 실천하는 연습을 합니다.

3) **교과서 활용**: 교과서를 중심으로 공부하며, 부족한 부분은 참고서와 인터넷 강의 등을 활용해 보충합니다.

4) **예습과 복습**: 예습과 복습을 통해 학습 내용을 꾸준히 확인하고 이해도를 높입니다.

내신 관리

1) **평소 성실한 학습**: 중학교 내신 성적은 고등학교 진학과 대학 입시에 중요한 요소이므로 평소 성실한 학습 태도를 유지합니다.

2) **시험 대비**: 중간고사와 기말고사에 대비해 체계적으로 공부하고, 모의 시험을 통해 실전 감각을 익힙니다.

3) **과제와 발표**: 교과 과제와 발표를 성실하게 수행해 내신 점수를 잘 관리합니다.

비교과 활동 참여

1) **동아리 활동**: 학교 동아리에 적극적으로 참여해 다양한 경험을

쌓고, 협동심과 리더십을 기릅니다.

2) **봉사 활동**: 지역 사회나 학교에서 봉사 활동을 통해 나눔의 가치를 배우고, 봉사 시간을 기록합니다.

3) **대회 참가**: 각종 학술 대회나 경시 대회에 참가해 자신의 역량을 키우고 수상 경력을 쌓습니다.

4) **체육 및 예술 활동**: 스포츠나 예술 활동에 참여해 체력과 창의성을 길러줍니다.

독서와 토론

1) **독서 습관**: 다양한 분야의 책을 읽어 폭넓은 지식을 쌓고, 독서 기록장을 작성합니다.

2) **토론 활동**: 친구들과 함께 토론 활동을 통해 논리적 사고력과 의사소통 능력을 기릅니다.

진로 탐색

1) **진로 상담**: 부모님, 선생님과 함께 진로에 대해 상담하고 다양한 직업을 탐색합니다.

2) **직업 체험**: 다양한 직업 체험 프로그램에 참여해 자신의 흥미와 적성을 발견합니다.

3) **진로 계획 작성**: 자신이 흥미 있는 분야를 중심으로 진로 계획을 작성하고, 이를 실천하기 위한 목표를 설정합니다.

자기소개서 및 포트폴리오 준비

1) **자기소개서 작성**: 자신의 경험과 성과를 바탕으로 자기소개서를 작성하는 연습을 합니다.

2) **포트폴리오 준비**: 자신의 학습 및 활동 기록을 정리해 포트폴리오를 작성합니다. 이는 고등학교 입학 시에도 도움이 됩니다.

외국어 학습

1) **영어 능력 향상**: 영어는 대학 입시에서 중요한 과목이므로 영어 듣기, 말하기, 읽기, 쓰기 능력을 균형 있게 향상시킵니다.

2) **제2외국어 학습**: 관심 있는 제2외국어를 선택해 학습을 시작합니다. 이는 다양한 대회 참가와 진로 탐색에 도움이 됩니다.

시험 준비

1) **중학교 졸업 학력 평가**: 중학교 졸업 학력 평가를 잘 준비해 좋은 성적을 거둡니다.

2) **고입 선발고사**: 고등학교 입학을 위한 선발고사를 대비해 학습합니다.

건강 관리

1) **균형 잡힌 식사**: 건강한 식습관을 유지해 학습 능력을 높입니다.

2) **충분한 수면**: 충분한 수면을 취해 집중력과 학습 효과를 높입니다.

3) **규칙적인 운동**: 규칙적인 운동을 통해 체력을 기르고 스트레스를 해소합니다.

시간 관리

1) **계획 세우기**: 주간 및 월간 학습 계획을 세워 체계적으로 공부합니다.

2) **효율적인 시간 활용**: 시간 관리 능력을 길러 학업과 비교과 활동을 균형 있게 수행합니다.

중등학교 시기는 자신의 흥미와 적성을 발견하고, 학습 습관을 기르며, 다양한 경험을 쌓는 시기입니다. 이 시기에 기른 기초 능력과 태도는 고등학교, 대학 입시, 나아가 이후의 학업 및 생활에 큰 영향을 미칩니다. 체계적이고 계획적인 준비를 통해 중등학교 시기를 잘 활용하면 대학 입시에 큰 도움이 될 것입니다.

Ⅱ 대학입시를 위한 과목별 준비방법

1. 국어 공부법

국어는 대학 입시에서 중요한 과목 중 하나로, 이해력, 사고력, 표현력 등을 종합적으로 평가합니다. 효과적인 국어 공부법을 통해 성적을 향상시키기 위해 아래의 방법들을 참고하세요.

기본기 다지기

1) **어휘력 향상**: 어휘력은 국어 학습의 기초입니다. 일상 생활에서 접하는 단어뿐만 아니라, 교과서와 참고서의 어휘를 꾸준히 익힙니다.

2) **문법 학습**: 문법은 국어의 뼈대입니다. 문법 책을 통해 기본적인 문법 지식을 쌓고, 문법 문제를 반복적으로 풀어봅니다.

독서 습관 형성

1) **다양한 독서**: 소설, 수필, 시, 논설문 등 다양한 장르의 책을 읽습니다. 이를 통해 다양한 문체와 어휘를 익힐 수 있습니다.

2) **비판적 독서**: 책을 읽을 때 주제, 주요 내용, 작가의 의도 등을 분석하며 읽습니다. 중요한 부분에 밑줄을 긋거나 메모하는 습관을 기릅니다.

지문 분석 능력 강화

1) **지문 구조 파악**: 지문의 구조를 파악하는 연습을 합니다. 각 문단의 핵심 내용을 파악하고, 지문의 흐름을 이해하는 것이 중요합니다.

2) **핵심 문장 찾기**: 지문에서 핵심 문장을 찾아내는 연습을 합니다.

중요한 정보가 담긴 문장을 빠르게 파악하는 능력을 기릅니다.

문제 풀이 연습

1) **기출 문제 풀이**: 기출 문제를 통해 출제 경향을 파악하고, 문제 유형에 익숙해집니다. 기출 문제를 반복적으로 풀면서 약점을 보완합니다.

2) **시간 관리 훈련**: 시험 시간 안에 모든 문제를 풀 수 있도록 시간 관리 훈련을 합니다. 모의고사를 풀 때 실제 시험처럼 시간을 재면서 연습합니다.

서술형 답안 작성 연습

1) **논리적 전개**: 서술형 답안을 작성할 때 논리적인 전개가 중요합니다. 서론, 본론, 결론의 구조를 명확히 하여 답안을 작성합니다.

2) **간결한 표현**: 간결하고 명확한 표현을 사용하여 답안을 작성합니다. 불필요한 내용을 줄이고 핵심만을 담도록 연습합니다.

학습 자료 활용

1) **참고서와 문제집**: 국어 공부를 위해 다양한 참고서와 문제집을 활용합니다. 해설이 잘 되어 있는 문제집을 선택하여 자습할 때 도움을 받습니다.

2) **인터넷 강의**: 필요하다면 인터넷 강의를 통해 부족한 부분을 보충합니다. 유명 강사의 강의를 통해 이해도를 높입니다.

꾸준한 학습 습관

1) **매일 학습**: 국어는 꾸준한 학습이 중요한 과목입니다. 매일 일정 시간을 정해 국어 공부를 합니다.

2) **복습과 예습**: 학습한 내용을 주기적으로 복습하고, 새로운 내용을 예습하는 습관을 기릅니다.

스터디 그룹 활용

1) **토론과 발표**: 스터디 그룹을 통해 토론과 발표를 하며 자신의 생각을 논리적으로 표현하는 연습을 합니다.

2) **상호 피드백**: 스터디 그룹 내에서 서로의 답안을 피드백하며 개선점을 찾습니다.

국어 공부는 단기간에 성과를 내기보다는 장기적인 계획과 꾸준한 노력이 필요합니다. 다양한 방법을 활용하여 자신에게 맞는 공부법을 찾고 지속적으로 실천하는 것이 중요합니다.

2. 수학 공부법

수학은 논리적 사고력과 문제 해결 능력을 키우는 중요한 과목입니다. 효과적인 수학 공부법을 통해 성적을 향상시키기 위해 아래의 방법들을 참고하세요.

개념 이해

1) **기본 개념 확립**: 수학의 기본 개념을 확실히 이해해야 합니다. 교과서와 참고서를 통해 개념을 공부하고, 이해되지 않는 부분은 반복해서 학습합니다.

2) **개념 노트 작성**: 중요한 개념과 공식, 정의 등을 정리한 노트를 만듭니다. 언제든지 참고할 수 있도록 잘 정리해 둡니다.

예제 풀이

1) **다양한 예제 풀이**: 개념을 이해한 후에는 다양한 예제 문제를 풀어보며 적용해 봅니다. 예제를 통해 개념이 실제 문제에서 어떻게 사용되는지 익힙니다.

2) **해설 참조**: 예제 문제를 풀 때, 해설을 참조하여 풀이 과정을 이해합니다. 해설을 통해 문제 해결의 논리를 배우고, 풀이 방법을 익힙니다.

문제 유형별 학습

1) **문제 유형 파악**: 출제되는 문제의 유형을 파악하고, 각 유형별로 문제를 풀어보며 익숙해집니다.

2) **유형별 문제집 활용**: 유형별로 정리된 문제집을 활용하여 다양한 문제를 접하고 연습합니다.

단계별 학습

1) **기초부터 차근차근**: 기초 문제부터 시작해 점점 난이도가 높은 문제로 넘어갑니다. 기초가 탄탄해야 어려운 문제도 해결할 수 있습니다.

2) **난이도 조절**: 자신의 수준에 맞는 문제를 풀되, 점차 난이도를

높여가며 도전합니다.

오답 노트 작성

1) **오답 노트 활용**: 틀린 문제나 어려운 문제를 오답 노트에 정리합니다. 왜 틀렸는지, 어떤 부분에서 어려움을 겪었는지를 분석하고 다시 풀어봅니다.

2) **반복 학습**: 오답 노트를 주기적으로 복습하여 같은 실수를 반복하지 않도록 합니다.

시간 관리 훈련

1) **시간 재기**: 문제를 풀 때 시간을 재며 연습합니다. 시험 시간 안에 문제를 해결할 수 있도록 훈련합니다.

2) **모의고사 활용**: 모의고사를 통해 실전 감각을 키우고, 시간 관리 능력을 향상시킵니다.

응용력 향상

1) **심화 문제 풀이**: 기본 문제를 충분히 연습한 후, 심화 문제를 풀어봅니다. 응용력을 키우기 위해 다양한 접근 방법을 시도해 봅니다.

2) **실생활 적용**: 수학 개념을 실생활에 적용해 보는 연습을 합니다. 실생활 문제를 통해 수학적 사고력을 기릅니다.

스터디 그룹 활용

1) **토론과 협력**: 스터디 그룹을 통해 서로의 풀이 방법을 공유하고 토론합니다. 어려운 문제는 협력하여 해결합니다.

2) **서로 가르치기**: 다른 사람에게 문제를 설명하고 가르치면서 자신의 이해도를 높입니다.

온라인 자료 활용

1) **인터넷 강의**: 인터넷 강의를 통해 부족한 부분을 보충합니다. 유명 강사의 강의를 통해 이해도를 높입니다.

2) **학습 사이트 활용**: 다양한 학습 사이트에서 제공하는 자료와 문

제를 활용하여 공부합니다.

꾸준한 학습 습관

1) **매일 학습**: 수학은 꾸준한 학습이 중요한 과목입니다. 매일 일정 시간을 정해 수학 공부를 합니다.

2) **복습과 예습**: 학습한 내용을 주기적으로 복습하고, 새로운 내용을 예습하는 습관을 기릅니다.

수학 공부는 꾸준한 노력이 필요합니다. 위의 방법들을 통해 자신에게 맞는 공부법을 찾고 지속적으로 실천하는 것이 중요합니다.

3. 영어 공부법

영어는 언어 능력을 기르기 위해 지속적인 노력이 필요한 과목입니다. 아래의 방법들을 참고하여 효과적인 영어 공부법을 실천해 보세요.

어휘력 강화

1) **일일 어휘 학습**: 매일 일정량의 새로운 단어를 학습합니다. 플래시카드나 어휘 앱을 사용하여 반복 학습을 통해 암기합니다.

2) **문맥 속에서 학습**: 단어를 단순히 외우는 것보다 문맥 속에서 익히는 것이 더 효과적입니다. 예문을 통해 단어의 의미와 사용 방법을 이해합니다.

3) **어휘 노트 작성**: 새로운 단어를 정리한 어휘 노트를 작성하고, 주기적으로 복습합니다.

읽기 능력 향상

1) **다양한 읽기 자료**: 소설, 신문, 잡지, 에세이 등 다양한 자료를 읽습니다. 관심 있는 주제의 글을 선택하여 흥미를 유지합니다.

2) **독해 연습**: 학습서나 인터넷에서 제공하는 독해 연습 문제를 풀어봅니다. 문제를 풀면서 이해한 내용을 확인합니다.

3) **정독과 속독**: 중요한 텍스트는 정독하고, 빠르게 읽어야 할 때는 속독을 연습합니다. 두 가지 방법을 균형 있게 연습합니다.

듣기 능력 강화

1) **영어 뉴스와 팟캐스트**: 영어로 된 뉴스나 팟캐스트를 청취합니다. 처음에는 속도가 느린 자료를 선택하고, 점차 빠른 속도의 자료로 넘어갑니다.

2) **영화와 드라마**: 영어 자막과 함께 영화나 드라마를 시청합니다. 자막 없이 이해하는 연습도 병행합니다.

3) **리스닝 문제 풀이**: TOEIC, TOEFL 등의 리스닝 문제를 풀어보며 실전 감각을 익힙니다.

말하기 능력 향상

1) **자기 소개 연습**: 자신에 대해 소개하는 내용을 준비하고 연습합니다. 다양한 상황에서 사용할 수 있도록 여러 주제를 준비합니다.

2) **언어 교환 파트너**: 언어 교환 파트너를 찾아 영어로 대화하는 연습을 합니다. 온라인 언어 교환 플랫폼을 활용할 수 있습니다.

3) **영어 모임 참여**: 영어 스터디 그룹이나 영어 모임에 참여하여 실제로 영어를 사용하는 기회를 가집니다.

쓰기 능력 강화

1) **일기 쓰기**: 매일 영어로 일기를 쓰며 표현력을 키웁니다. 간단한 문장부터 시작하여 점차 복잡한 문장으로 발전시킵니다.

2) **에세이 연습**: 다양한 주제로 에세이를 작성해 봅니다. 처음에는 짧은 글을 쓰고, 점차 길고 복잡한 글로 발전시킵니다.

3) **글쓰기 첨삭**: 작성한 글을 영어 선생님이나 원어민 친구에게 첨삭받습니다. 피드백을 통해 문법과 표현을 개선합니다.

문법 학습

1) **기초 문법 다지기**: 기본 문법을 철저히 학습합니다. 문법 교재를 활용하여 기본 문법 규칙을 익힙니다.

2) **문법 문제 풀이**: 다양한 문법 문제를 풀어보며 규칙을 적용하는 연습을 합니다. 틀린 문제는 복습하고 이해할 때까지 반복합니다.

3) **문법 노트 작성**: 중요한 문법 포인트를 정리한 노트를 작성하고 주기적으로 복습합니다.

영어 환경 조성

1) **영어 노출**: 일상 생활에서 영어를 접할 수 있는 환경을 만듭니다. 스마트폰이나 컴퓨터의 언어 설정을 영어로 변경하고, 영어로 된 콘텐츠를 소비합니다.

2) **영어 사용 습관**: 가능한 한 영어로 생각하고 말하는 습관을 기릅니다. 친구들과의 대화나 혼잣말도 영어로 시도해 봅니다.

온라인 자료와 어플 활용

1) **언어 학습 앱**: Duolingo, Memrise, Anki 등의 언어 학습 앱을 사용하여 어휘와 문법을 학습합니다.

2) **온라인 강의**: Coursera, Udemy, Khan Academy 등에서 제공하는 영어 강의를 활용하여 학습합니다.

3) **인터넷 커뮤니티**: Reddit, Quora 등의 영어 커뮤니티에 참여하여 글을 읽고 질문하며 영어 실력을 키웁니다.

스터디 그룹 활용

1) **그룹 활동**: 스터디 그룹을 통해 서로의 학습을 도우며 동기 부

여를 받습니다. 그룹 활동을 통해 다양한 의견을 나누고 영어로 토론합니다.

2) **피드백 제공**: 그룹 내에서 서로의 말하기나 글쓰기를 피드백하며 개선점을 찾습니다.

영어 공부는 꾸준함과 노력이 필요합니다. 위의 방법들을 통해 자신에게 맞는 공부법을 찾고 지속적으로 실천하는 것이 중요합니다.

Ⅲ 대학입시를 위한 개인별 준비방법

1. 사교육 활용법

대학 입시를 위한 사교육은 학업 성취도를 높이고 입시에 유리한 스펙을 쌓는 데 큰 도움이 될 수 있습니다. 그러나 효과적으로 활용하기 위해서는 전략적인 접근이 필요합니다. 아래는 사교육을 효과적으로 활용하는 방법을 제시합니다.

학습 목표 설정

1) **명확한 목표 설정**: 구체적인 목표(예: 특정 대학 합격, 특정 과목 성적 향상)를 설정하고 이에 맞는 사교육 프로그램을 선택합니다.

2) **단기 및 장기 목표**: 단기 목표(예: 다음 시험에서 몇 점 이상 받기)와 장기 목표(예: 3년 안에 원하는 대학에 입학하기)를 나누어 계획을 세웁니다.

맞춤형 사교육 선택

1) **개인별 맞춤형 학습**: 학생의 강점과 약점을 분석하여 맞춤형 학습 계획을 세웁니다. 개인 과외나 1:1 튜터링이 도움이 될 수 있습니다.

2) **전문 학원의 선택**: 특정 과목에서 전문성을 갖춘 학원을 선택합니다. 예를 들어, 수학이나 과학 등 특정 과목에 강점이 있는 학원을 선택합니다.

3) **온라인 교육 활용**: 다양한 온라인 강의를 통해 시간과 장소에 구애받지 않고 학습할 수 있습니다. 특히 해외 유명 강사의 강의를 들을 수 있는 기회를 활용합니다.

사교육의 다양성

1) **학과 특성에 맞는 교육**: 학생이 목표로 하는 학과에 맞춘 특화된 사교육을 받습니다. 예를 들어, 예체능 계열은 실기 수업을, 인문학 계열은 논술 수업을 집중적으로 받습니다.

2) **학습 외 활동**: 봉사활동, 인턴십, 동아리 활동 등 다양한 활동을 통해 입시에 필요한 종합적인 스펙을 쌓습니다.

학습 관리와 점검

1) **주기적인 평가**: 학업 성취도를 주기적으로 평가하여 목표 달성 여부를 확인합니다. 모의고사나 자가 진단 테스트 등을 활용합니다.

2) **피드백 반영**: 평가 결과에 따라 학습 계획을 수정하고 보완합니다. 사교육 강사나 학원의 피드백을 적극적으로 반영합니다.

부모의 역할

1) **적극적인 지원**: 자녀의 학습 환경을 조성하고 필요한 사교육을 지원합니다. 하지만 지나친 압박보다는 격려와 지원이 중요합니다.

2) **정보 수집**: 최신 입시 정보와 사교육 시장의 동향을 파악하여 적절한 선택을 할 수 있도록 돕습니다. 예를 들어, 입시 설명회나 학부모 모임에 참석합니다.

비용 효율성 고려

1) **비용 대비 효과 분석**: 사교육 비용이 효과적으로 사용되고 있는지 주기적으로 점검합니다. 과도한 비용 지출을 피하고, 효율적인 프로그램을 선택합니다.

2) **장학금 및 지원 프로그램 활용**: 학교나 지역사회에서 제공하는 장학금 및 교육 지원 프로그램을 적극 활용합니다.

스트레스 관리

1) **균형 잡힌 생활**: 학습과 휴식의 균형을 맞춰 아이가 과도한 스트레스를 받지 않도록 합니다. 충분한 휴식과 취미 활동이 학습 효율성을 높일 수 있습니다.

2) **심리적 지원**: 필요한 경우 심리 상담이나 멘토링 프로그램을 통해 정서적 지원을 제공합니다.

사교육은 잘 활용하면 대학 입시에 큰 도움이 될 수 있지만, 지나친 의존은 오히려 역효과를 낼 수 있습니다. 학생의 자율성을 존중하면서 사교육을 보조 수단으로 활용하는 것이 중요합니다.

2. 자기주도습관을 길러주는 법

자기주도학습은 학생이 스스로 계획하고 실천하며 학습을 이끌어가는 능력을 기르는 데 중점을 둡니다. 이는 단순히 지식을 습득하는 것 이상으로, 평생 학습의 기초가 되는 중요한 습관입니다. 아래에 자기주도학습 습관을 길러주는 방법을 제시합니다.

목표 설정

1) **명확한 목표**: 장기적 목표(예: 대학 입학, 특정 직업)와 단기적 목표(예: 이번 시험 성적 향상)를 구체적으로 설정합니다.

2) **SMART 목표**: 목표를 구체적(Specific), 측정 가능(Measurable), 달성 가능(Achievable), 관련성(Relevant), 시간 제한(Time-bound)을 두어 설정합니다.

계획 세우기

1) **학습 계획표 작성**: 주간 또는 월간 학습 계획표를 작성하여 구체적인 학습 일정을 세웁니다.

2) **우선순위 설정**: 중요하고 긴급한 과제를 먼저 처리하도록 우선순위를 설정합니다.

시간 관리

1) **일정 관리**: 일정 관리 앱이나 다이어리를 활용해 하루 일정을 관리합니다.

2) 25분간 집중해서 공부하고, 5분간 휴식하는 방법을 활용해 집중력을 높입니다.

학습 환경 조성

1) **조용한 공간**: 공부에 집중할 수 있는 조용하고 정돈된 학습 공간을 마련합니다.

2) **필요한 도구 준비**: 필요한 학습 도구(책, 노트, 필기구 등)를 미리 준비하여 학습 중 방해 요소를 최소화합니다.

자기 평가

1) **정기적 평가**: 주기적으로 학습 성과를 평가하고, 목표 달성 여부를 확인합니다.

2) **피드백 반영**: 평가 결과를 바탕으로 학습 계획을 수정하고 보완합니다.

동기 부여

1) **보상 시스템**: 목표를 달성했을 때 작은 보상을 주어 성취감을 느끼도록 합니다.

2) **자기 긍정**: 자신이 잘한 점을 인정하고, 긍정적인 자기 대화를 통해 자존감을 높입니다.

학습 방법 다양화

1) **다양한 학습 자료 활용**: 책, 인터넷 강의, 동영상 등 다양한 학습 자료를 활용하여 흥미를 유지합니다.

2) **복습과 예습**: 학습한 내용을 복습하고, 다음 학습 내용을 예습하는 습관을 기릅니다.

협력 학습

1) **스터디 그룹**: 스터디 그룹을 통해 서로의 학습을 도와주고, 함께 학습 목표를 달성합니다.

2) **토론과 발표**: 학습한 내용을 토론하고 발표하며 이해도를 높입니다.

문제 해결 능력 기르기

1) **자기 문제 해결**: 문제를 스스로 해결하려는 노력을 기울이고, 필요한 경우 도움을 요청합니다.

2) **비판적 사고**: 학습 내용을 비판적으로 분석하고, 스스로 질문을 던지며 사고력을 기릅니다.

지속적인 자기 개발

1) **독서 습관**: 다양한 책을 읽으며 지식을 넓히고 깊이를 더합니다.

2) **새로운 도전**: 새로운 과목이나 관심 분야에 도전하며 학습의 폭을 넓힙니다.

건강 관리

1) **충분한 수면**: 충분한 수면을 취해 학습 효율을 높입니다.

2) **규칙적인 운동**: 규칙적인 운동을 통해 신체 건강을 유지하고, 스트레스를 해소합니다.

자기주도학습은 시간이 걸리는 과정이지만, 위의 방법들을 지속적으로 실천하면 자기주도적인 학습 습관을 기를 수 있습니다. 자신에게 맞는 방법을 찾아 꾸준히 실천하는 것이 중요합니다.

3. 학습을 위한 좋은 습관 기르는 법

학습을 위한 좋은 습관을 기르는 것은 학업 성취도 향상과 평생 학습 능력을 키우는 데 매우 중요합니다. 아래에 학습을 위한 좋은 습관들을 제시합니다.

규칙적인 학습 시간

1) **일정한 시간**: 매일 같은 시간에 공부하는 습관을 기릅니다. 일정한 학습 시간을 정해 규칙적으로 공부하면 집중력과 효율성이 높아집니다.

2) **학습 계획표**: 주간 또는 월간 학습 계획표를 작성하여 무엇을 언제 공부할지 계획합니다.

정돈된 학습 공간

1) **조용한 장소**: 공부에 집중할 수 있는 조용하고 정돈된 장소를 마련합니다.

2) **필요한 도구 준비**: 공부에 필요한 모든 도구(책, 노트, 필기구 등)를 미리 준비해 두어 학습 중 방해 요소를 최소화합니다.

시간 관리

1) **시간 분배**: 학습 시간을 적절히 분배하여 각 과목을 균형 있게 공부합니다. 25분 집중, 5분 휴식하는 방법을 활용해 집중력을 유지합니다.

2) **우선순위 설정**: 해야 할 일의 우선순위를 정하고, 중요하고 긴급한 일부터 처리합니다.

적극적인 학습 태도

1) **질문하기**: 모르는 부분이 있으면 적극적으로 질문하고, 이해할 때까지 학습합니다.

2) **참여하기**: 수업이나 학습 활동에 적극적으로 참여하고, 토론과 발표를 통해 학습 내용을 정리합니다.

복습과 예습

1) **주기적인 복습**: 학습한 내용을 주기적으로 복습하여 장기 기억으로 전환합니다.

2) **예습 습관**: 새로운 내용을 배우기 전에 미리 예습하여 이해도를 높입니다.

기록과 필기

1) **효과적인 필기**: 중요한 내용을 체계적으로 필기하여 나중에 복습할 때 활용합니다. 마인드 맵이나 요약 노트를 사용하여 시각적으로 정리합니다.

2) **메모 습관**: 공부하다가 떠오르는 생각이나 아이디어를 메모하여

놓칫기 쉬운 내용을 기록합니다.

다양한 학습 방법 활용

1) **다양한 자료 활용**: 책, 인터넷 강의, 동영상, 학습 앱 등 다양한 자료를 활용하여 학습합니다.

2) **실생활 적용**: 학습한 내용을 실생활에 적용해 보며 이해도를 높입니다.

건강한 생활 습관

1) **충분한 수면**: 충분한 수면을 취해 학습 효율을 높입니다.

2) **규칙적인 운동**: 규칙적인 운동을 통해 신체 건강을 유지하고, 스트레스를 해소합니다.

3) **균형 잡힌 식사**: 영양가 있는 음식을 섭취하여 두뇌 활동을 촉진합니다.

자기 평가와 피드백

1) **자기 평가**: 정기적으로 학습 성과를 평가하고, 목표 달성 여부를 확인합니다.

2) **피드백 반영**: 평가 결과를 바탕으로 학습 계획을 수정하고 보완합니다.

스트레스 관리

1) **적절한 휴식**: 학습 중간에 적절한 휴식을 취해 집중력을 유지합니다. 취미 활동이나 명상 등을 통해 스트레스를 해소합니다.

2) **긍정적인 태도**: 긍정적인 자기 대화를 통해 자신감을 유지하고, 실패를 두려워하지 않는 태도를 기릅니다.

지속적인 자기 개발

1) **독서 습관**: 다양한 주제의 책을 읽으며 지식을 넓히고 깊이를 더합니다.

2) **새로운 도전**: 새로운 과목이나 관심 분야에 도전하며 학습의 폭을 넓힙니다.

이러한 습관들을 꾸준히 실천하면 학습 능력을 크게 향상시킬 수 있습니다. 중요한 것은 자신에게 맞는 방법을 찾아 꾸준히 실천하는 것입니다.

4. 학습을 위한 동기부여 하는 법

학습 동기 부여는 학습 효과를 극대화하는 데 매우 중요합니다. 학습을 지속적으로 이어나가기 위해 내적 동기와 외적 동기를 모두 활용하는 것이 좋습니다. 아래에 학습 동기 부여를 위한 다양한 방법들을 제시합니다.

명확한 목표 설정

1) **장기 목표와 단기 목표**: 장기적인 목표(예: 대학 입학, 원하는 직업)를 설정하고, 이를 달성하기 위한 단기 목표(예: 다음 시험에서 좋은 성적 받기)를 세웁니다.

2) **구체적이고 측정 가능한 목표**: 목표를 구체적이고 측정 가능하게 설정하여 달성했을 때의 성취감을 느낄 수 있도록 합니다. SMART 목표 설정법을 활용합니다.

목표 시각화

1) **비전 보드 만들기**: 자신이 이루고 싶은 목표나 꿈을 그림이나 사진으로 시각화하여 비전 보드를 만듭니다. 이를 매일 볼 수 있는 곳에 두어 동기를 유지합니다.

2) **미래의 자신 상상하기**: 목표를 달성한 후의 자신을 상상하며 그 때의 기쁨과 성취감을 떠올립니다.

긍정적 자기 대화

1) **자기 격려**: 학습 과정에서 자신을 격려하는 긍정적인 말을 자주 합니다. "나는 할 수 있다", "조금만 더 노력하자" 등의 긍정적인 자기 대화를 합니다.

2) **성공 경험 떠올리기**: 이전에 성취했던 성공 경험을 떠올리며 자신감을 키웁니다.

보상 시스템

1) **작은 보상**: 작은 목표를 달성할 때마다 자신에게 작은 보상을 주어 성취감을 느끼도록 합니다. 예를 들어, 좋아하는 간식 먹기, 짧은 휴식 시간 갖기 등이 있습니다.

2) **큰 보상**: 큰 목표를 달성했을 때는 더 큰 보상을 준비합니다. 예를 들어, 원하는 물건을 사거나 여행을 계획할 수 있습니다.

학습 환경 조성

1) **조용한 공부 장소**: 집중할 수 있는 조용하고 정돈된 학습 공간을 마련합니다.

2) **학습 도구 준비**: 필요한 학습 도구를 미리 준비하여 학습 중 방해 요소를 최소화합니다.

동기 부여를 위한 자료 활용

1) **동기 부여 책과 영상**: 동기 부여 관련 책을 읽거나 영상을 시청하여 학습에 대한 의욕을 높입니다.

2) **성공 사례 읽기**: 자신이 목표하는 분야에서 성공한 사람들의 이야기를 읽으며 영감을 얻습니다.

학습의 재미 찾기

1) **흥미로운 자료 활용**: 자신의 관심 분야와 관련된 흥미로운 자료를 활용하여 공부합니다.

2) **게임화**: 학습을 게임처럼 즐길 수 있도록 퀴즈나 챌린지 형식으로 진행합니다.

스터디 그룹 참여

1) **함께 공부하기**: 스터디 그룹에 참여하여 함께 공부하고 서로 동기를 부여합니다.

2) **상호 피드백**: 그룹 내에서 서로의 학습 내용을 피드백하며 개선점을 찾습니다.

자기 평가와 피드백

1) **정기적 평가**: 주기적으로 자신의 학습 성과를 평가하고, 목표 달성 여부를 확인합니다.

2) **피드백 반영**: 평가 결과를 바탕으로 학습 계획을 수정하고 보완합니다.

건강한 생활 습관

1) **충분한 수면**: 충분한 수면을 취해 학습 효율을 높입니다.

2) **규칙적인 운동**: 규칙적인 운동을 통해 신체 건강을 유지하고, 스트레스를 해소합니다.

3) **균형 잡힌 식사**: 영양가 있는 음식을 섭취하여 두뇌 활동을 촉진합니다.

자기 개발을 위한 도전

1) **새로운 목표 설정**: 새로운 과목이나 관심 분야에 도전하며 학습의 폭을 넓힙니다.

2) **작은 성취 경험**: 작은 성취 경험을 통해 자신감을 쌓고, 점점 더 큰 목표에 도전합니다.

긍정적인 주변 환경

1) **지지하는 사람들과 함께**: 긍정적이고 지지적인 사람들과 함께하며 서로 동기 부여를 합니다.

2) **멘토 찾기**: 자신이 목표하는 분야에서 성공한 멘토를 찾아 조언을 구합니다.

이러한 방법들을 통해 학습에 대한 동기 부여를 지속적으로 유지할 수 있습니다. 중요한 것은 자신에게 맞는 방법을 찾아 꾸준히 실천하는 것입니다.

5. 학습을 위한 마인드 콘트롤

학습을 효과적으로 하기 위해서는 단순히 시간과 노력을 투자하는 것뿐만 아니라, 적절한 마인드 컨트롤도 매우 중요합니다. 아래에 제시된 방법들은 학습을 위한 마인드 컨트롤을 도와줄 것입니다.

긍정적인 사고방식

1) **긍정적 자기 대화**: "나는 할 수 있다", "내가 공부한 만큼 성과를 낼 수 있다"와 같은 긍정적인 말을 자신에게 자주 합니다.

2) **성공 시각화**: 목표를 달성했을 때의 기쁨과 성취감을 생생하게 상상합니다. 이를 통해 학습 동기를 강화합니다.

목표와 계획 설정

1) **구체적인 목표 설정**: 장기적 목표와 단기적 목표를 구체적으로 설정합니다. 목표는 SMART(구체적, 측정 가능, 달성 가능, 관련성, 시간 제한)하게 설정합니다.

2) **단계적 계획 세우기**: 목표를 달성하기 위해 필요한 단계를 세분화하고, 매일 실천할 수 있는 계획을 세웁니다.

자기 통제력 기르기

1) **작은 습관부터 시작**: 큰 변화를 한 번에 시도하기보다는 작은 습관부터 시작하여 점차적으로 확대합니다.

2) **유혹 제거**: 학습을 방해하는 요소(스마트폰, TV 등)를 학습 공간에서 제거합니다.

집중력 향상

1) 25분간 집중해서 공부하고, 5분간 휴식하는 방법을 활용해 집중력을 유지합니다.

2) **명상과 호흡 운동**: 명상이나 깊은 호흡 운동을 통해 정신을 안

정시키고 집중력을 향상시킵니다.

스트레스 관리

1) **규칙적인 운동**: 규칙적인 운동을 통해 신체적, 정신적 스트레스를 해소합니다.

2) **충분한 수면**: 충분한 수면을 통해 피로를 회복하고, 학습 효율을 높입니다.

자기 동기 부여

1) **보상 시스템**: 목표를 달성할 때마다 작은 보상을 주어 성취감을 느끼도록 합니다.

2) **내적 동기 찾기**: 학습의 목적과 중요성을 스스로에게 되새기며 내적 동기를 강화합니다.

학습 환경 조성

1) **정돈된 학습 공간**: 공부에 집중할 수 있는 조용하고 정돈된 학

습 공간을 마련합니다.

2) **학습 도구 준비**: 필요한 학습 도구를 미리 준비하여 학습 중 방해 요소를 최소화합니다.

멘탈 모델 구축

1) **효과적인 멘탈 모델**: 학습할 내용을 효과적으로 이해하고 기억하기 위해 멘탈 모델을 구축합니다. 이를 위해 마인드맵이나 노트 테이킹 기법을 활용합니다.

2) **반복과 복습**: 중요한 내용을 반복 학습하고 주기적으로 복습하여 장기 기억으로 전환합니다.

자기 평가와 피드백

1) **정기적 평가**: 주기적으로 자신의 학습 성과를 평가하고, 목표 달성 여부를 확인합니다.

2) **피드백 반영**: 평가 결과를 바탕으로 학습 계획을 수정하고 보완합니다.

협력과 소통

1) **스터디 그룹**: 스터디 그룹을 통해 서로의 학습을 도와주고, 동기 부여를 받습니다.

2) **멘토 찾기**: 자신이 목표하는 분야에서 성공한 멘토를 찾아 조언을 구합니다.

성장 마인드셋

1) **배움에 대한 열정**: 실패를 두려워하지 않고, 모든 경험을 배움의 기회로 여깁니다.

2) **끊임없는 도전**: 어려운 문제나 과제에 도전하며 자신의 한계를 넘어설 수 있도록 합니다.

지속적인 자기 개발

1) **다양한 지식 습득**: 여러 분야의 지식을 접하며 폭넓은 사고를 기릅니다.

2) **독서 습관**: 다양한 주제의 책을 읽으며 새로운 지식을 쌓고 사고의 깊이를 더합니다.

이러한 마인드 컨트롤 방법들을 실천함으로써 학습 효율을 높이고, 지속적인 동기 부여를 받을 수 있습니다. 중요한 것은 자신에게 맞는 방법을 찾아 꾸준히 실천하는 것입니다.